P9-AEV-575

RIMAS Y LEYENDAS

COLECCIÓN AUSTRAL

N.º 3

GUSTAVO ADOLFO BÉCQUER

RIMAS Y LEYENDAS

CUADRAGÉSIMA EDICIÓN

ESPASA-CALPE, S. A.
MADRID

Ediciones para

COLECCIÓN AUSTRAL

Primera edición:	24 - IX	- 1938
Segunda edición:	14 - IX	- 1939
Tercera edición:	23 - XI	- 1940
Cuarta edición:	22 - XI	- 1941
Quinta edición:	22 - XII	- 1942
Sexta edición:	14 - VII	- 1943
Séptima edición:	28 - X	- 1943
Octava edición:	14 - VIII	- 1944
Novena edición:	15 - IV	- 1945
Décima edición:	21 - XII	- 1946
Undécima edición:	21 - I	- 1947
Duodécima edición:	25 - I	- 1947
Decimotercera edición:	21 - VI	- 1949
Decimocuarta edición:	8 - I	- 1951
Decimoquinta edición:	10 - IX	- 1951
Decimosexta edición:	14 - III	- 1952
Decimoséptima edición:	18 - XII	- 1952
Decimoctava edición:	17 - VII	- 1956
Decimonovena edición:	21 - V	- 1958
Vigésima edición:	7 - II	- 1959
Vigésimo primera edición:	28 - VIII	- 1961
Vigésimo segunda edición:	21 - VII	- 1963
Vigésimo tercera edición:	26 - II	- 1964
Vigésimo cuarta edición:	17 - III	- 1965
Vigésimo quinta edición:	22 - XII	- 1966
Vigésimo sexta edición:	15 - V	- 1969
Vigésimo séptima edición:	21 - II	- 1970
Vigésimo octava edición:	12 - V	- 1972
Vigésimo novena edición:	14 - III	- 1973
Trigésima edición:	29 - IV	- 1974
Trigésimo primera edición:	31 - III	- 1975
Trigésimo segunda edición:	25 - II	- 1976
Trigésimo tercera edición:	20 - XII	- 1976
Trigésimo cuarta edición:	26 - IV	- 1977
Trigésimo quinta edición:	15 - XI	- 1977
Trigésimo sexta edición:	30 - VI	- 1978
Trigésimo séptima edición:	4 - V	- 1979
Trigésimo octava edición:	10 - X	- 1980
Trigésimo novena edición:	15 - XII	- 1981
Cuadragésima edición:	28 - VII	- 1983

© *Espasa-Calpe, S. A., Madrid, 1938*

—

Depósito legal: M. 24.829—1983

ISBN 84—239—0003—7

Impreso en España
Printed in Spain

Acabado de imprimir el día 28 de julio de 1983

Talleres gráficos de la Editorial Espasa-Calpe, S. A.
Carretera de Irún, km. 12,200. Madrid-34

ÍNDICE

Por los tenebrosos rincones de mi cerebro, acurrucados y desnudos, duermen los extravagantes hijos de mi fantasía, esperando en silencio que el arte los vista de la palabra para poderse presentar decentes en la escena del mundo.

Fecunda, como el lecho de amor de la miseria, y parecida a esos padres que engendran más hijos de los que pueden alimentar, mi musa concibe y pare en el misterioso santuario de la cabeza, poblándola de creaciones sin número, a las cuales ni mi actividad ni todos los años que me restan de vida serían suficientes a dar forma.

Y aquí dentro, desnudos y deformes, revueltos y barajados en indescriptible confusión, los siento a veces agitarse y vivir con una vida oscura y extraña, semejante a la de esas miríadas de gérmenes que hierven y se estremecen en una eterna incubación dentro de las entrañas de la tierra, sin encontrar fuerzas bastantes para salir a la superficie y convertirse, al beso del sol, en flores y frutos.

Conmigo van, destinados a morir conmigo, sin que de ellos quede otro rastro que el que deja un sueño de medianoche, que a la mañana no puede recordarse. En algunas ocasiones, y ante esta idea terrible, se subleva en ellos el instinto de la vida, y agitándose en formidable aunque silencioso tumulto, buscan en tropel por donde salir a la luz, de entre las tinieblas en que viven. Pero ¡ay, que entre el mundo de la idea y el de la forma existe un abismo que sólo puede salvar la palabra, y la palabra, tímida y perezosa, se niega a secundar sus esfuerzos! Mudos, sombríos e impotentes, después de la inútil lucha vuelven a caer en su antiguo marasmo. ¡Tal caen inertes en los surcos de las sendas, si cesa el viento, las hojas amarillas que levantó el remolino!

Estas sediciones de los rebeldes hijos de la imaginación explican algunas de mis fiebres; ellas son la causa, desconocida para la ciencia, de mis exaltaciones y mis abatimientos. Y así, aunque mal, vengo viviendo hasta aquí paseando por entre la indiferente multitud esta silenciosa tempestad de mi

cabeza. Así vengo viviendo; pero todas las cosas tienen un término, y a éstas hay que ponerles punto.

El insomnio y la fantasía siguen y siguen procreando en monstruoso maridaje. ¡Sus creaciones, apretadas ya como las raquíticas plantas de un vivero, pugnan por dilatar su fantástica existencia, disputándose los átomos de la memoria como el escaso jugo de una tierra estéril! Necesario es abrir paso a las aguas profundas, que acabarán por romper el dique, diariamente aumentadas por un manantial vivo.

¡Andad, pues! Andad y vivid con la única vida que puedo daros. Mi inteligencia os nutrirá lo suficiente para que seáis palpables; os vestirá, aunque sea de harapos, lo bastante para que no avergüence vuestra desnudez. Yo quisiera forjar para cada uno de vosotros una maravillosa estrofa tejida con frases exquisitas, en la que os pudiérais envolver con orgullo, como en un manto de púrpura. Yo quisiera poder cincelar la forma que ha de conteneros como se cincela el vaso de oro que ha de guardar un preciado perfume. Mas es imposible.

No obstante, necesito descansar; necesito del mismo modo que se sangra el cuerpo por cuyas henchidas venas se precipita la sangre con pletórico empuje, desahogar el cerebro, insuficiente a contener tantos absurdos.

Quedad, pues, consignados aquí como la estela nebulosa que señala el paso de un desconocido cometa, como los átomos dispersos de un mundo en embrión que avienta por el aire la muerte antes que su creador haya podido pronunciar el *fiat lux* que separa la claridad de las sombras.

No quiero que en mis noches sin sueño volváis a pasar por delante de mis ojos en extravagante procesión pidiéndome, con gestos y contorsiones, que os saque a la vida de la realidad, del limbo en que vivís semejantes a fantasmas sin consistencia. No quiero que al romperse esta arpa, vieja y cascada ya, se pierdan, a la vez que el instrumento, las ignoradas notas que contenía. Deseo ocuparme un poco del mundo que me rodea, pudiendo, una vez vacío, apartar los ojos de este otro mundo que llevo dentro de la cabeza. El sentido común, que es la barrera de los sueños, comienza a flaquear, y las gentes de diversos campos se mezclan y confunden. Me cuesta trabajo saber qué cosas he soñado y cuáles me han sucedido. Mis afectos se reparten entre fantasmas de la imaginación y personajes reales. Mi memoria clasifica, revueltos, nombres y fechas de mujeres y días que han muerto o han pasado, con los días y mujeres que no han existido sino en mi mente. Preciso es acabar arrojándolos de la cabeza de una vez para siempre.

Si *morir* es *dormir*, quiero dormir en paz en la noche de la muerte, sin que vengáis a ser mi pesadilla maldiciéndome por haberos condenado a la nada antes de haber nacido. Id, pues, al mundo a cuyo contacto fuisteis engendrados, y

quedad en él como el eco que encontraron en un alma que pasó por la Tierra sus alegrías y sus dolores, sus esperanzas y sus luchas.

Tal vez muy pronto tendré que hacer la maleta para el gran viaje. De una hora a otra puede desligarse el espíritu de la materia para remontarse a regiones más puras. No quiero, cuando esto suceda, llevar conmigo, como el abigarrado equipaje de un saltimbanqui, el tesoro de oropeles y guiñapos que ha ido acumulando la fantasía en los desvanes del cerebro.

Junio de 1868.

I

Yo sé un himno gigante y extraño
que anuncia en la noche del alma una aurora,
y estas páginas son de este himno
cadencias que el aire dilata en las sombras.

Yo quisiera escribirle, del hombre
domando el rebelde, mezquino idïoma,
con palabras que fuesen a un tiempo
suspiros y risas, colores y notas.

Pero en vano es luchar; que no hay cifra
capaz de encerrarlo, y apenas, ¡oh hermosa!,
si, teniendo en mis manos las tuyas,
pudiera, al oído, cantártelo a solas.

II

Saeta voladora
cruza, arrojada al azar,
sin adivinarse dónde
temblando se clavará;

hoja que del árbol seca
arrebata el vendaval
sin que nadie acierte el surco
donde a caer volverá;

gigante ola que el viento
riza y empuja en el mar,
y rueda y pasa, y no sabe
qué playa buscando va;

luz que en cercos temblorosos
brilla, próxima a expirar,
ignorándose cuál de ellos
el último brillará;

eso soy yo, que al acaso
cruzo el mundo, sin pensar
de dónde vengo, ni a dónde
mis pasos me llevarán.

III

Sacudimiento extraño
que agita las ideas,
como huracán que empuja
las olas en tropel;

murmullo que en el alma
se eleva y va creciendo,
como volcán que sordo
anuncia que va a arder;

deformes siluetas
de seres imposibles;
paisajes que aparecen
como a través de un tul;

colores que fundiéndose
remedan en el aire
los átomos del iris
que nadan en la luz;

ideas sin palabras,
palabras sin sentido;
cadencias que no tienen
ni ritmo ni compás;

memorias y deseos
de cosas que no existen;
accesos de alegría;
impulsos de llorar;

actividad nerviosa
que no halla en qué emplearse,
sin rienda que lo guíe
caballo volador;

locura que el espíritu
exalta y enardece;
embriaguez divina
del genio creador...

¡Tal es la inspiración!

*

Gigante voz que el caos
ordena en el cerebro,
y entre las sombras hace
la luz aparecer;

brillante rienda de oro
que poderosa enfrena
de la exaltada mente
el volador corcel;

hilo de luz que en haces
los pensamientos ata;
sol que las nubes rompe
y toca en el cenit;

inteligente mano
que en un collar de perlas
consigue las indóciles
palabras reunir;

armonïoso ritmo
que con cadencia y número
las fugitivas notas
encierra en el compás;

cincel que el bloque muerde
la estatua modelando,
y la belleza plástica
añade a la ideal;

atmósfera en que giran
con orden las ideas,
cual átomos que agrupa
recóndita atracción;

raudal en cuyas ondas
su sed la fiebre apaga;

oasis que al espíritu
devuelve su vigor...

¡Tal es nuestra razón!

Con ambas siempre lucha,
y de ambas vencedor
tan sólo el genio puede
a un yugo atar las dos.

IV

No digáis que agotado su tesoro,
de asuntos falta, enmudeció la lira.
Podrá no haber poetas; pero siempre
 habrá poesía.

Mientras las ondas de la luz al beso
 palpiten encendidas;
mientras el sol las desgarradas nubes
 de fuego y oro vista;

mientras el aire en su regazo lleve
 perfumes y armonías;
mientras haya en el mundo primavera,
 ¡habrá poesía!

Mientras la ciencia a descubrir no alcance
 las fuentes de la vida,
y en el mar o en el cielo haya un abismo
 que al cálculo resista;

mientras la humanidad, siempre avanzando,
 no sepa a do camina;
mientras haya un misterio para el hombre,
 ¡habrá poesía!

Mientras sintamos que se alegra el alma,
 sin que los labios rían;
mientras se llore sin que el llanto acuda
 a nublar la pupila;

mientras el corazón y la cabeza
 batallando prosigan;
mientras haya esperanzas y recuerdos,
 ¡habrá poesía!

Mientras haya unos ojos que reflejen
los ojos que los miran;
mientras responda el labio suspirando
al labio que suspira;

mientras sentirse puedan en un beso
dos almas confundidas;
mientras exista una mujer hermosa,
¡habrá poesía!

V

Espíritu sin nombre,
indefinible esencia,
yo vivo con la vida
sin formas de la idea.

Yo nado en el vacío,
del sol tiemblo en la hoguera,
palpito entre las sombras
y floto con las nieblas.

Yo soy el fleco de oro
de la lejana estrella;
yo soy de la alta luna
la luz tibia y serena.

Yo soy la ardiente nube
que en el ocaso ondea;
yo soy del astro errante
la luminosa estela.

Yo soy nieve en las cumbres,
soy fuego en las arenas,
azul onda en los mares,
y espuma en las riberas.

En el laúd soy nota,
perfume en la violeta,
fugaz llama en las tumbas,
y en las ruïnas hiedra.

Yo atrueno en el torrente,
y silbo en la centella,
y ciego en el relámpago,
y rujo en la tormenta.

Yo río en los alcores,
susurro en la alta yerba,
suspiro en la onda pura,
y lloro en la hoja seca.

Yo ondulo con los átomos
del humo que se eleva,
y al cielo lento sube
en espiral inmensa.

Yo, en los dorados hilos
que los insectos cuelgan,
me mezco entre los árboles
en la ardorosa siesta.

Yo corro tras las ninfas
que en la corriente fresca
del cristalino arroyo
desnudas juguetean.

Yo, en bosques de corales
que alfombran blancas perlas,
persigo en el océano
las náyades ligeras.

Yo, en las cavernas cóncavas
do el sol nunca penetra,
mezclándome a los gnomos
contemplo sus riquezas.

Yo busco de los siglos
las ya borradas huellas,
y sé de esos imperios
de que ni el nombre queda.

Yo sigo en raudo vértigo
los mundos que voltean,
y mi pupila abarca
la creación entera.

Yo sé de esas regiones
y do un rumor no llega,
y donde informes astros
de vida un soplo esperan.

Yo soy sobre el abismo
el puente que atraviesa,
yo soy la ignota escala
que el Cielo une a la Tierra.

Yo soy el invisible
anillo que sujeta
el mundo de la forma
al mundo de la idea.

Yo, en fin, soy ese espíritu,
desconocida esencia,
perfume misterioso,
de que es vaso el poeta.

VI

Como la brisa que la sangre orea
sobre el oscuro campo de batalla,
cargada de perfumes y armonías
en el silencio de la noche vaga;

símbolo del dolor y la ternura,
del bardo inglés en el horrible drama
la dulce Ofelia, la razón perdida,
cogiendo flores y cantando pasa.

VII

Del salón en el ángulo oscuro,
de su dueño tal vez olvidada,
silenciosa y cubierta de polvo
veíase el arpa.

¡Cuánta nota dormía en sus cuerdas,
como el pájaro duerme en las ramas,
esperando la mano de nieve
que sabe arrancarlas!

—¡Ay! —pensé—. ¡Cuántas veces el genio
así duerme en el fondo del alma,
y una voz, como Lázaro, espera
que le diga: «¡Levántate y anda!»

VIII

Cuando miro el azul horizonte
perderse a lo lejos
al través de una gasa de polvo
dorado e inquieto,

me parece posible arrancarme
del mísero suelo,
y flotar con la niebla dorada
en átomos leves
cual ella deshecho.

Cuando miro de noche, en el fondo
oscuro del cielo,
las estrellas temblar, como ardientes
pupilas de fuego,

me parece posible a do brillan
subir en un vuelo,
y anegarme en su luz y con ellas
en lumbre encendido
fundirme en un beso.

En el mar de la duda en que bogo
ni aun sé lo que creo;
¡sin embargo, estas ansias me dicen
que yo llevo algo
divino aquí dentro!...

IX

Besa el aura que gime blandamente
las leves ondas que jugando riza;
el sol besa a la nube en Occidente,
y de púrpura y oro la matiza;
la llama en derredor del tronco ardiente
por besar a otra llama se desliza,
y hasta el sauce inclinándose a su peso,
al río que lo besa, vuelve un beso.

X

Los invisibles átomos del aire
en derredor palpitan y se inflaman;
el cielo se deshace en rayos de oro;
la tierra se estremece alborozada.
Oigo flotando en olas de armonía
rumor de besos y batir de alas;
mis párpados se cierran... ¿Qué sucede?
¡Es el amor que pasa!

XI

—Yo soy ardiente, yo soy morena,
yo soy el símbolo de la pasión;
de ansia de goces mi alma está llena.
¿A mí me buscas? —No es a ti; no.

—Mi frente es pálida; mis trenzas de oro;
puedo brindarte dichas sin fin;
yo de ternura guardo un tesoro.
¿A mí me llamas? —No; no es a ti.

—Yo soy un sueño, un imposible,
vano fantasma de niebla y luz;
soy incorpórea, soy intangible;
no puedo amarte. —¡Oh, ven; ven tú!

XII

Porque son, niña, tus ojos
verdes como el mar, te quejas;
verdes los tienen las náyades,
verdes los tuvo Minerva,
y verdes son las pupilas
de las hurís del profeta.

El verde es gala y ornato
del bosque en la primavera.
Entre sus siete colores
brillante el iris lo ostenta.

Las esmeraldas son verdes,
verde el color del que espera,
y las ondas del océano,
y el laurel de los poetas.

Es tu mejilla temprana
rosa de escarcha cubierta,
en que el carmín de los pétalos
se ve al través de las perlas.

Y, sin embargo,
sé que te quejas
porque tus ojos
crees que la afean.

Pues no lo creas;
que parecen tus pupilas,
húmedas, verdes e inquietas,
tempranas hojas de almendro,
que al soplo del aire tiemblan.

Es tu boca de rubíes
purpúrea granada abierta,
que en el estío convida
a apagar la sed en ella.

Y, sin embargo,
sé que te quejas
porque tus ojos
crees que la afean.
Pues no lo creas;
que parecen, si enojada
tus pupilas centellean,
las olas del mar que rompen
en las cantábricas peñas.

Es tu frente, que corona
crespo el oro en ancha trenza,
nevada cumbre en que el día
su postrera luz refleja.

Y, sin embargo,
sé que te quejas
porque tus ojos
crees que la afean.
Pues no lo creas;
que entre las rubias pestañas,
junto a las sienes, semejan
broches de esmeralda y oro
que un blanco armiño sujetan.

Porque son, niña, tus ojos
verdes como el mar te quejas;
quizá, si negros o azules
se tornasen, lo sintieras.

XIII

Tu pupila es azul, y cuando ríes,
su claridad süave me recuerda
el trémulo fulgor de la mañana
que en el mar se refleja.

Tu pupila es azul, y cuando lloras,
las transparentes lágrimas en ella
se me figuran gotas de rocío
sobre una violeta.

Tu pupila es azul, y si en su fondo
como un punto de luz radia una idea,
me parece en el cielo de la tarde
¡una perdida estrella!

XIV

Te vi un punto, y flotando ante mis ojos
la imagen de tus ojos se quedó,
como la mancha oscura, orlada en fuego,
que flota y ciega si se mira al sol.

Adondequiera que la vista fijo
torno a ver tus pupilas llamear;
mas no te encuentro a ti, que es tu mirada:
unos ojos, los tuyos, nada más.

De mi alcoba en el ángulo los miro
desasidos fantásticos lucir;
cuando duermo los siento que se ciernen
de par en par abiertos sobre mí.

Yo sé que hay fuegos fatuos, que en la noche
llevan al caminante a perecer;
yo me siento arrastrado por tus ojos;
pero a donde me arrastran, no lo sé.

XV

Cendal flotante de leve bruma,
rizada cinta de blanca espuma,
rumor sonoro
de arpa de oro,
beso del aura, onda de luz,
eso eres tú.

Tú, sombra aérea, que cuantas veces
voy a tocarte te desvaneces
como la llama, como el sonido,
como la niebla, como el gemido
del lago azul.

En mar sin playas onda sonante;
en el vacío cometa errante;
 largo lamento
 del ronco viento,
ansia perpetua de algo mejor,
 eso soy yo.

¡Yo, que a tus ojos, en mi agonía,
los ojos vuelvo de noche y día;
yo, que incansable corro demente
tras una sombra, tras la hija ardiente
 de una ilusión!

XVI

Si al mecer las azules campanillas
 de tu balcón
crees que suspirando pasa el viento
 murmurador,
sabe que, oculto entre las verdes hojas,
 suspiro yo.

Si al resonar confuso a tus espaldas
 vago rumor,
crees que por tu nombre te ha llamado
 lejana voz,
sabe que, entre las sombras que te cercan,
 te llamo yo.

Si te turba medroso en la alta noche
 tu corazón
al sentir en tus labios un aliento
 abrasador,
sabe que, aunque invisible, al lado tuyo
 respiro yo.

XVII

Hoy la tierra y los cielos me sonríen;
hoy llega al fondo de mi alma el sol;
hoy la he visto..., la he visto y me ha mirado...
 ¡Hoy creo en Dios!

XVIII

Fatigada del baile,
encendido el color, breve el aliento,
apoyada en mi brazo,
del salón se detuvo en un extremo.

Entre la leve gasa
que levantaba el palpitante seno,
una flor se mecía
en compasado y dulce movimiento.

Como en cuna de nácar
que empuja el mar y que acaricia el céfiro,
tal vez allí dormía
al soplo de sus labios entreabiertos.

¡Oh, quién así —pensaba—
dejar pudiera deslizarse al tiempo!
¡Oh, si las flores duermen,
qué dulcísimo sueño!

XIX

Cuando sobre el pecho inclinas
la melancólica frente,
una azucena tronchada
me pareces.

Porque al darte la pureza,
de que es símbolo celeste,
como a ella te hizo Dios
de oro y nieve.

XX

Sabe, si alguna vez tus labios rojos
quema invisible atmósfera abrasada,
que el alma que hablar puede con los ojos
también puede besar con la mirada.

XXI

«¿Qué es poesía?», dices mientras clavas
 en mi pupila tu pupila azul.
«¿Qué es poesía? ¿Y tú me lo preguntas?
 Poesía... eres tú.»

XXII

¿Cómo vive esa rosa que has prendido
 junto a tu corazón?
Nunca hasta ahora contemplé en la tierra
 sobre el volcán la flor.

XXIII

Por una mirada un mundo;
por una sonrisa, un cielo,
por un beso..., ¡yo no sé
qué te diera por un beso!

XXIV

Dos rojas lenguas de fuego
que a un mismo tronco enlazadas,
se aproximan, y al besarse
forman una sola llama;

dos notas que del laúd
a un tiempo la mano arranca,
y en el espacio se encuentran
y armonïosas se abrazan;

dos olas que vienen juntas
a morir sobre una playa,
y que al romper se coronan
con un penacho de plata;

dos jirones de vapor
que del lago se levantan,
y al juntarse allí en el cielo
forman una nube blanca;

dos ideas que al par brotan,
dos besos que a un tiempo estallan,
dos ecos que se confunden...,
eso son nuestras dos almas.

XXV

Cuando en la noche te envuelven
las alas de tul del sueño,
y tus tendidas pestañas
semejan arcos de ébano,
por escuchar los latidos
de tu corazón inquieto
y reclinar tu dormida
cabeza sobre mi pecho,
 diera, alma mía,
 cuanto poseo:
 ¡La luz, el aire
 y el pensamiento!

Cuando se clavan tus ojos
en un invisible objeto,
y tus labios ilumina
de una sonrisa el reflejo,
por leer sobre tu frente
el callado pensamiento
que pasa como la nube
del mar sobre el ancho espejo,
 diera, alma mía,
 cuanto deseo:
 ¡La fama, el oro,
 la gloria, el genio!

Cuando enmudece tu lengua,
y se apresura tu aliento,
y tus mejillas se encienden,
y entornas tus ojos negros,
por ver entre tus pestañas
brillar con húmedo fuego
la ardiente chispa que brota
del volcán de los deseos,
 diera, alma mía,
 por cuanto espero,
 ¡la fe, el espíritu,
 la Tierra, el Cielo!

XXVI

Voy contra mi interés al confesarlo;
 no obstante, amada mía,
pienso, cual tú, que una oda sólo es buena
de un billete del Banco al dorso escrita.
No faltará algún necio que al oírlo
 se haga cruces y diga:
«Mujer, al fin, del siglo diecinueve,
material y prosaica...» ¡Bobería!
¡Voces que hacen correr cuatro poetas
que en invierno se embozan con la lira!
¡Ladridos de los perros a la Luna!
Tú sabes y yo sé que en esta vida,
con genio, es muy contado quien la *escribe:*
y con oro, cualquiera *hace* poesía.

XXVII

Despierta, tiemblo al mirarte;
dormida, me atrevo a verte;
por eso, alma de mi alma,
yo velo mientras tú duermes.

Despierta ríes, y al reír, tus labios
 inquietos me parecen
relámpagos de grana que serpean
 sobre un cielo de nieve.

Dormida, los extremos de tu boca
 pliega sonrisa leve,
süave como el rastro luminoso
 que deja un sol que muere...
 ¡Duerme!

Despierta miras, y al mirar, tus ojos
 húmedos resplandecen
como la onda azul, en cuya cresta
 chispeando el sol hiere.

Al través de tus párpados, dormida,
 tranquilo fulgor viertes,
cual derrama de luz templado rayo
 lámpara transparente...
 ¡Duerme!

Despierta hablas, y al hablar, vibrantes
 tus palabras parecen
lluvia de perlas que en dorada copa
 se derrama a torrentes.

Dormida, en el murmullo de tu aliento
 acompasado y tenue
escucho yo un poema que mi alma
 enamorada entiende...
 ¡Duerme!

Sobre el corazón la mano
he puesto porque no suene
su latido, y de la noche
turbe la calma solemne.

De tu balcón las persianas
cerré ya, porque no entre
el resplandor enojoso
de la aurora, y te despierte...
 ¡Duerme!

XXVIII

Cuando entre la sombra oscura
perdida una voz murmura
turbando su triste calma,
si en el fondo de mi alma
la oigo dulce resonar,
dime: ¿es que el viento en sus giros
se queja, o que tus suspiros
me hablan de amor al pasar?

Cuando el sol en mi ventana
rojo brilla a la mañana,
y mi amor tu sombra evoca,
si en mi boca de otra boca
sentir creo la impresión,
dime: ¿es que ciego deliro
o que un beso en un suspiro
me envía tu corazón?

Si en el luminoso día
y en la alta noche sombría,
si en todo cuanto rodea
al alma que te desea

te creo sentir y ver,
dime: ¿es que toco y respiro
soñando, o que en un suspiro
me das tu aliento a beber?

XXIX

La bocca mi baccio tutto tremante.

Sobre la falda tenía
 el libro abierto;
en mi mejilla tocaban
 sus rizos negros;
no veíamos las letras
 ninguno, creo;
mas guardábamos entrambos
 hondo silencio.
¿Cuánto duró? Ni aun entonces
 pude saberlo;
sólo sé que no se oía
 más que el aliento,
que apresurado escapaba
 del labio seco.
Sólo sé que nos volvimos
 los dos a un tiempo,
y nuestros ojos se hallaron;
 y sonó un beso.
. .
. .

Creación de Dante era el libro,
 era su *Infierno.*
Cuando a él bajamos los ojos,
 yo dije trémulo:
«¿Comprendes ya que un poema
 cabe en un verso?»
Y ella respondió encendida:
 «¡Ya lo comprendo!»

XXX

Asomaba a sus ojos una lágrima
y a mi labio una frase de perdón;
habló el orgullo y enjugó su llanto,
y la frase en mis labios expiró.

Yo voy por un camino, ella por otro;
pero al pensar en nuestro mutuo amor,
yo digo aún: «¿Por qué callé aquel día?»
Y ella dirá: «¿Por qué no lloré yo?»

XXXI

Nuestra pasión fue un trágico sainete,
 en cuya absurda fábula
lo cómico y lo grave confundidos
 risas y llanto arrancan.

Pero fue lo peor de aquella historia,
 que, al fin de la jornada,
a ella tocaron lágrimas y risas,
 ¡y a mí sólo las lágrimas!

XXXII

Pasaba arrolladora en su hermosura,
 y el paso le dejé;
ni aun a mirarla me volví, y, no obstante,
algo a mi oído murmuró: «Ésa es.»

¿Quién reunió la tarde a la mañana?
 Lo ignoro: sólo sé
que en una breve noche de verano
se unieron los crepúsculos y... fue.

XXXIII

Es cuestión de palabras, y, no obstante,
 ni tú ni yo jamás,
después de lo pasado, convendremos
 en quién la culpa está.

¡Lástima que el amor un diccionario
 no tenga donde hallar
cuándo el orgullo es simplemente orgullo
 y cuándo es dignidad!

XXXIV

Cruza callada, y son sus movimientos
 silenciosa armonía;
suenan sus pasos, y al sonar, recuerdan
del himno alado la cadencia rítmica.

Los ojos entreabre, aquellos ojos
 tan claros como el día;
y la Tierra y el Cielo, cuanto abarcan,
arden con nueva luz en sus pupilas.

Ríe, y su carcajada tiene notas
 del agua fugitiva;
llora, y es cada lágrima un poema
 de ternura infinita.

Ella tiene la luz, tiene el perfume,
 el calor y la línea;
la forma engendradora de deseos,
la expresión, fuente eterna de poesía.

¿Que es estúpida?... ¡Bah! Mientras callando
 guarde oscuro el enigma,
siempre valdrá, a mi ver, lo que ella calla
más que lo que cualquiera otra me diga.

XXXV

¡No me admiró tu olvido! Aunque de un día,
 me admiró tu cariño mucho más;
porque lo que hay en mí que vale algo,
 eso... ¡ni lo pudiste sospechar!

XXXVI

Si de nuestros agravios en un libro
 se escribiese la historia,
y se borrase en nuestras almas cuanto
 se borrase en sus hojas...

¡Te quiero tanto aún, dejó en mi pecho
tu amor huellas tan hondas,
que sólo con que tú borrases una,
las borraba yo todas!

XXXVII

Antes que tú me moriré; escondido
en las entrañas ya
el hierro llevo con que abrió tu mano
la ancha herida mortal.

Antes que tú me moriré, y mi espíritu,
en su empeño tenaz,
sentándose a las puertas de la muerte,
allí te esperará.

Con las horas los días, con los días
los años volarán,
y a aquella puerta llamarás al cabo...
¿Quién deja de llamar?

Entonces que tu culpa y tus despojos
la tierra guardará,
lavándote en las ondas de la muerte
como en otro Jordán;

allí donde el murmullo de la vida
temblando a morir va,
como la ola que a la playa viene
silenciosa a expirar;

allí donde el sepulcro que se cierra
abre una eternidad...
¡Todo cuanto los dos hemos callado
lo tenemos que hablar!

XXXVIII

Los suspiros son aire y van al aire.
Las lágrimas son agua y van al mar.
Dime, mujer: cuando el amor se olvida,
¿sabes tú adónde va?

XXXIX

¿A qué me lo decís? Lo sé: es mudable,
es altanera y vana y caprichosa;
antes que el sentimiento de su alma,
brotará el agua de la estéril roca.

Sé que en su corazón, nido de sierpes,
no hay una fibra que al amor responda:
que es una estatua inanimada; pero...
¡es tan hermosa!

XL

Su mano entre mis manos,
sus ojos en mis ojos,
la amorosa cabeza
apoyada en mi hombro.
¡Dios sabe cuántas veces,
con paso perezoso,
hemos vagado juntos,
bajo los altos olmos
que de su casa prestan
misterio y sombra al pórtico!
Y ayer..., un año apenas
pasado como un soplo,
con qué exquisita gracia,
con qué admirable aplomo,
me dijo al presentarnos
un amigo oficioso:
«Creo que en alguna parte
he visto a usted.» ¡Ah!, bobos,
que sois de los salones
comadres de buen tono,
y andáis por allí a caza
de galantes embrollos.
¡Qué historia habéis perdido!
¡Qué manjar tan sabroso
para ser devorado
sotto voce en un corro,
detrás del abanico
de plumas y de oro!

.

¡Discreta y casta Luna,
copudos y altos olmos,
paredes de su casa,
umbrales de su pórtico,
no salga de vosotros!
Callad, que por mi parte
lo he olvidado todo;
y ella..., ella..., ¡no hay máscara
semejante a su rostro!

XLI

Tú eras el huracán, y yo la alta
torre que desafía su poder:
¡Tenías que estrellarte o abatirme!...
 ¡No pudo ser!

Tú eras el oceano y yo la enhiesta
roca que firme aguarda su vaivén:
¡Tenías que romperte o que arrancarme!...
 ¡No pudo ser!

Hermosa tú, yo altivo; acostumbrados
uno a arrollar, el otro a no ceder;
la senda estrecha, inevitable el choque...
 ¡No pudo ser!

XLII

Cuando me lo contaron sentí el frío
de una hoja de acero en las entrañas;
me apoyé contra el muro, y un instante
la conciencia perdí de donde estaba.

Cayó sobre mi espíritu la noche;
en ira y en piedad se anegó el alma...
¡Y entonces comprendí por qué se llora,
y entonces comprendí por qué se mata!

Pasó la nube de dolor..., con pena
logré balbucear breves palabras...
¿Quién me dio la noticia?... Un fiel amigo...
¡Me hacía un gran favor!... Le di las gracias.

XLIII

Dejé la luz a un lado, y en el borde
de la revuelta cama me senté,
mudo, sombrío, la pupila inmóvil,
 clavada en la pared.

¿Qué tiempo estuve así? No sé; al dejarme
la embriaguez horrible del dolor,
expiraba la luz y en mis balcones
 reía el sol.

Ni sé tampoco en tan horribles horas
en qué pensaba o qué pasó por mí;
sólo recuerdo que lloré y maldije,
y que en aquella noche envejecí.

XLIV

Como en un libro abierto
leo de tus pupilas en el fondo;
 ¿a qué fingir el labio
risas que se desmienten con los ojos?

¡Llora! No te avergüences
de confesar que me quisiste un poco.
 ¡Llora! Nadie nos mira.
Ya ves; yo soy un hombre..., ¡y también lloro!

XLV

En la clave del arco mal seguro,
cuyas piedras el tiempo enrojeció,
obra del cincel rudo, campeaba
 el gótico blasón.

Penacho de su yelmo de granito,
la hiedra que colgaba en derredor
daba sombra al escudo en que una mano
 tenía un corazón.

A contemplarlo en la desierta plaza
 nos paramos los dos;
y «éste —me dijo— es el cabal emblema
 de mi constante amor».

¡Ay!, es verdad lo que me dijo entonces:
 verdad que el corazón
lo llevará en la mano..., en cualquier parte,
 pero en el pecho no.

XLVI

Me ha herido recatándose en las sombras,
sellando con un beso su traición.
Los brazos me echó al cuello, y por la espalda
partióme a sangre fría el corazón.

Y ella prosigue alegre su camino,
feliz, risueña, impávida; ¿y por qué?
Porque no brota sangre de la herida...
¡Porque el muerto está en pie!

XLVII

Yo me he asomado a las profundas simas
 de la Tierra y del Cielo,
y les he visto el fin, o con los ojos
 o con el pensamiento.

Mas, ¡ay!, de un corazón llegué al abismo
 y me incliné por verlo,
y mi alma y mis ojos se turbaron:
 ¡tan hondo era y tan negro!

XLVIII

Como se arranca el hierro de una herida,
su amor de las entrañas me arranqué,
aunque sentí al hacerlo que la vida
 me arrancaba con él.

Del altar que le alcé en el alma mía
la voluntad su imagen arrojó
y la luz de la fe que en ella ardía
 ante el ara desierta se apagó.

Aún para combatir mi firme empeño
viene a mi mente su visión tenaz...
¡Cuándo podré dormir con ese sueño
 en que acaba el soñar!

XLIX

Alguna vez la encuentro por el mundo
 y pasa junto a mí;
y pasa sonriéndose, y yo digo:
 «¿Cómo puede reír?»

Luego asoma a mi labio otra sonrisa,
 máscara de dolor,
y entonces pienso: «¡Acaso ella se ríe
 como me río yo!»

L

Lo que el salvaje que con torpe mano
hace de un tronco a su capricho un dios,
y luego ante su obra se arrodilla,
 eso hicimos tú y yo.

Dimos formas reales a un fantasma,
de la mente ridícula invención,
y hecho el ídolo ya, sacrificamos
 en su altar nuestro amor.

LI

De lo poco de vida que me resta,
diera con gusto los mejores años
 por saber lo que a otros
 de mí has hablado.

Y esta vida mortal, y de la eterna
lo que me toque, si me toca algo,
 por saber lo que a solas
 de mí has pensado.

LII

Olas gigantes que os rompéis bramando
en las playas desiertas y remotas;
envuelto entre las sábanas de espuma,
 ¡llevadme con vosotras!

Ráfagas de huracán que arrebatáis
del alto bosque las marchitas hojas;
arrastrado en el ciego torbellino,
 ¡llevadme con vosotras!

Nubes de tempestad que rompe el rayo
y en fuego ornáis las desprendidas orlas;
arrebatado entre la niebla oscura,
 ¡llevadme con vosotras!

Llevadme, por piedad, a donde el vértigo
con la razón me arranque la memoria...
¡Por piedad!... ¡Tengo miedo de quedarme
 con mi dolor a solas!

LIII

Volverán las oscuras golondrinas
en tu balcón sus nidos a colgar,
y otra vez con el ala en sus cristales,
 jugando llamarán;

pero aquellas que el vuelo refrenaban
tu hermosura y mi dicha al contemplar;
aquellas que aprendieron nuestros nombres,
 ésas... ¡no volverán!

Volverán las tupidas madreselvas
de tu jardín las tapias a escalar,
y otra vez a la tarde, aún más hermosas,
 sus flores abrirán;

pero aquellas cuajadas de rocío,
cuyas gotas mirábamos temblar
y caer, como lágrimas del día...,
 ésas... ¡no volverán!

Volverán del amor en tus oídos
las palabras ardientes a sonar;
tu corazón, de su profundo sueño
 tal vez despertará;

pero mudo y absorto y de rodillas
como se adora a Dios ante su altar,
como yo te he querido..., desengáñate,
 ¡así no te querrán!

LIV

Cuando volvemos las fugaces horas
 del pasado a evocar,
temblando brilla en sus pestañas negras
una lágrima pronta a resbalar.

Y al fin resbala, y cae como una gota
de rocío, al pensar
que, cual hoy por ayer, por hoy mañana,
volveremos los dos a suspirar.

LV

Entre el discorde estruendo de la orgía
 acarició mi oído,
como nota de música lejana,
 el eco de un suspiro.

El eco de un suspiro que conozco,
formado de un aliento que he bebido,
perfume de una flor que oculta crece
 en un claustro sombrío.

Mi adorada de un día, cariñosa,
«¿En qué piensas?», me dijo.
«En nada...» «¿En nada y lloras?» «Es que tengo
alegre la tristeza y triste el vino.»

LVI

Hoy como ayer, mañana como hoy,
 y ¡siempre igual!
Un cielo gris, un horizonte eterno,
 y ¡andar..., andar!

Moviéndose a compás, como una estúpida
máquina, el corazón;
la torpe inteligencia del cerebro
dormía en un rincón.

El alma que ambiciona un paraíso,
buscándolo sin fe;
fatiga sin objeto, ola que rueda
ignorando por qué.

Voz que incesante con el mismo tono
canta el mismo cantar;
gota de agua monótona que cae
y cae sin cesar.

Así van deslizándose los días
unos de otros en pos,
hoy lo mismo que ayer..., y todos ellos
sin goce ni dolor.

¡Ay!, a veces me acuerdo suspirando
del antiguo sufrir...
Amargo es el dolor; pero siquiera,
¡padecer es vivir!

LVII

Este armazón de huesos y pellejo,
de pasear una cabeza loca
cansada se halla al fin, y no lo extraño;
pues, aunque es la verdad que no soy viejo,

de la parte de vida que me toca
en la vida del mundo, por mi daño
he hecho un uso tal, que juraría
que he condensado un siglo en cada día.

Así, aunque ahora muriera,
no podría decir que no he vivido;
que el sayo, al parecer nuevo por fuera,
conozco que por dentro ha envejecido.

Ha envejecido, sí; ¡pese a mi estrella!,
harto lo dice ya mi afán doliente:
que hay dolor que, al pasar, su horrible huella
graba en el corazón, si no en la frente.

LVIII

¿Quieres que de ese néctar delicioso
 no te amargue la hez?
Pues aspíralo, acércalo a tus labios
 y déjalo después.

¿Quieres que conservemos una dulce
 memoria de este amor?
Pues amémonos hoy mucho, y mañana
 digámonos ¡adiós!

LIX

Yo sé cuál el objeto
de tus suspiros es;
yo conozco la causa de tu dulce
secreta languidez.
¿Te ríes...? Algún día
sabrás, niña, por qué.
Tú acaso lo sospechas,
 y yo lo sé.

Yo sé lo que tú sueñas,
y lo que en sueños ves.
Como en un libro puedo lo que callas
en tu frente leer.
¿Te ríes...? Algún día
sabrás, niña, por qué.
Tú acaso lo sospechas,
 y yo lo sé.

Yo sé por qué sonríes
y lloras a la vez;
yo penetro en los senos misteriosos
de tu alma de mujer.
¿Te ríes...? Algún día
sabrás, niña, por qué:
mientras tú sientes mucho y nada sabes
yo, que no siento ya, todo lo sé.

LX

Mi vida es un erial:
flor que toco se deshoja;
que en mi camino fatal
alguien va sembrando el mal
para que yo lo recoja.

LXI

Al ver mis horas de fiebre
e insomnio lentas pasar,
a la orilla de mi lecho,
　　¿quién se sentará?

Cuando la trémula mano
tienda, próximo a expirar,
buscando una mano amiga,
　　¿quién la estrechará?

Cuando la muerte vidríe
de mis ojos el cristal,
mis párpados aún abiertos,
　　¿quién los cerrará?

Cuando la campana suene
(si suena en mi funeral),
una oración al oírla
　　¿quién murmurará?

Cuando mis pálidos restos
oprima la tierra ya,
sobre la olvidada fosa,
　　¿quién vendrá a llorar?

¿Quién, en fin, al otro día,
cuando el sol vuelva a brillar,
de que pasé por el mundo,
　　quién se acordará?

LXII

Primero es un albor trémulo y vago,
raya de inquieta luz que corta el mar;
luego chispea y crece y se dilata
en ardiente explosión de claridad.

La brilladora luz es la alegría;
la tenebrosa sombra es el pesar:
¡Ay!, en la oscura noche de mi alma,
¿cuándo amanecerá?

LXIII

Como enjambre de abejas irritadas,
de un oscuro rincón de la memoria
salen a perseguirme los recuerdos
de las pasadas horas.

Yo los quiero ahuyentar. ¡Esfuerzo inútil!
Me rodean, me acosan,
y unos tras otros a clavarme vienen
el agudo aguijón que el alma encona.

LXIV

Como guarda el avaro su tesoro,
guardaba mi dolor:
yo quería probar que hay algo eterno
a la que eterno me juró su amor.

Mas hoy le llamo en vano, y oigo al tiempo
que le agotó, decir:
«¡Ah, barro miserable, eternamente
no podrás ni aun sufrir!»

LXV

Llegó la noche, y no encontré un asilo,
¡y tuve sed!... Mis lágrimas bebí.
¡Y tuve hambre!... ¡Los hinchados ojos
cerré para morir!

¡Estaba en un desierto! Aunque a mi oído
de las turbas llegaba el ronco hervir,
yo era huérfano y pobre... ¡El mundo estaba
desierto para mí!

LXVI

¿De dónde vengo?... El más horrible y áspero
 de los senderos busca.
Las huellas de unos pies ensangrentados
 sobre la roca dura;

los despojos de un alma hecha jirones
 en las zarzas agudas,
 te dirán el camino
 que conduce a mi cuna.

¿Adónde voy? El más sombrío y triste
 de los páramos cruza:
valle de eternas nieves y de eternas
 melancólicas brumas.

En donde esté una piedra solitaria
 sin inscripción alguna,
 donde habite el olvido,
 allí estará mi tumba.

LXVII

¡Qué hermoso es ver el día
coronado de fuego levantarse,
 y a su beso de lumbre
brillar las olas y encenderse el aire!

¡Qué hermoso es, tras la lluvia
del triste otoño en la azulada tarde,
 de las húmedas flores
el perfume aspirar hasta saciarse!

¡Qué hermoso es, cuando en copos
la blanca nieve silenciosa cae,
 de las inquietas llamas
ver las rojizas lenguas agitarse!

¡Qué hermoso es, cuando hay sueño,
dormir bien... y roncar como un sochantre...
y comer, y engordar! ¡Y qué desgracia
 que esto sólo no baste!

LXVIII

No sé lo que he soñado
en la noche pasada;
triste, muy triste debió ser el sueño,
pues despierto la angustia me duraba.

Noté, al incorporarme,
húmeda la almohada,
y por primera vez sentí, al notarlo,
de un amargo placer henchirse el alma.

Triste cosa es el sueño
que llanto nos arranca;
mas tengo en mi tristeza una alegría...
¡sé que aún me quedan lágrimas!

LXIX

Al brillar de un relámpago nacemos,
y aún dura su fulgor cuando morimos,
¡Tan corto es el vivir!

La gloria y el amor tras que corremos,
sombras de un sueño son que perseguimos.
¡Despertar es morir!

LXX

¡Cuántas veces, al pie de las musgosas
paredes que la guardan,
oí la esquila que al mediar la noche
a los maitines llama!

¡Cuántas veces trazó mi triste sombra
la luna plateada,
junto a la del ciprés que de su huerto
se asoma por las tapias!

Cuando en sombras la iglesia se envolvía
de su ojiva calada,
¡cuántas veces temblar sobre los vidrios
vi el fulgor de la lámpara!

Aunque el viento en los ángulos oscuros
de la torre silbara,
del coro entre las voces percibía
su voz vibrante y clara.

En las noches de invierno, si un medroso
por la desierta plaza
se atrevía a cruzar, al divisarme
el paso aceleraba.

Y no faltó una vieja que en el torno
dijese a la mañana,
que de algún sacristán muerto en pecado
acaso era yo el alma.

A oscuras conocía los rincones
del atrio y la portada;
de mis pies las ortigas que allí crecen
las huellas tal vez guardan.

Los búhos que espantados me seguían
con sus ojos de llamas,
llegaron a mirarme con el tiempo
como a un buen camarada.

A mi lado sin miedo los reptiles
se movían a rastras.
¡Hasta los mudos santos de granito
vi que me saludaban!

LXXI

No dormía; vagaba en ese limbo
en que cambian de forma los objetos,
misteriosos espacios que separan
la vigilia del sueño.

Las ideas, que en ronda silenciosa
daban vueltas en torno a mi cerebro,
poco a poco en su danza se movían
con un compás más lento.

De la luz que entra al alma por los ojos
los párpados velaban el reflejo;
mas otra luz el mundo de visiones
alumbraba por dentro.

En este punto resonó en mi oído
un rumor semejante al que en el templo
vaga, confuso, al terminar los fieles
 con un *amén* sus rezos.

Y oí como una voz delgada y triste
que por mi nombre me llamó a lo lejos,
y sentí olor de cirios apagados,
 de humedad y de incienso.

. .

Entró la noche, y del olvido en brazos
caí, cual piedra, en su profundo seno;
dormí, y al despertar exclamé: «¡Alguno
 que yo quería ha muerto!»

LXXII

Primera voz

Las ondas tienen vaga armonía;
las violetas süave olor;
brumas de plata, la noche fría;
 luz y oro el día;
 yo, algo mejor:
 ¡yo tengo *Amor!*

Segunda voz

Aura de aplausos, nube radiosa,
ola de envidia que besa el pie,
isla de sueños donde reposa
 el alma ansiosa,
 dulce embriaguez,
 la *Gloria* es.

Tercera voz

Ascua encendida es el tesoro,
sombra que huye la vanidad;
todo es mentira: la gloria, el oro.
 Lo que yo adoro
 sólo es verdad:
 ¡la *Libertad!*

Así los barqueros pasaban cantando
 la eterna canción,
y al golpe del remo saltaba la espuma
 y heríala el sol.
 «¿Te embarcas?», gritaban. Y yo, sonriendo,
 les dije al pasar:
«Ha tiempo lo hice; por cierto que aún tengo
la ropa en la playa tendida a secar.»

LXXIII

Cerraron sus ojos,
que aún tenía abiertos;
taparon su cara
con un blanco lienzo,
y unos sollozando,
otros en silencio,
de la triste alcoba
todos se salieron.

La luz, que en un vaso
ardía en el suelo,
al muro arrojaba
la sombra del lecho;
y entre aquella sombra
veíase, a intervalos
dibujarse rígida
la forma del cuerpo.

Despertaba el día,
y a su albor primero,
con sus mil ruïdos
despertaba el pueblo.
Ante aquel contraste
de vida y misterio,
de luz y tinieblas,
medité un momento:
¡Dios mío, qué solos
se quedan los muertos!

De la casa en hombros
lleváronla al templo
y en una capilla
dejaron el féretro.
Allí rodearon
sus pálidos restos
de amarillas velas
y de paños negros.

Al dar de las Ánimas
el toque postrero,
acabó una vieja
sus últimos rezos;
cruzó la ancha nave,
las puertas gimieron
y el santo recinto
quedóse desierto.

De un reloj se oía
compasado el péndulo,
y de algunos cirios
el chisporroteo.
Tan medroso y triste,
tan oscuro y yerto
todo se encontraba...
que pensé un momento:
¡Dios mío, qué solos
se quedan los muertos!

De la alta campana
la lengua de hierro,
le dio volteando,
su adiós lastimero.
El luto en las ropas,
amigos y deudos
cruzaron en fila,
formando el cortejo.

Del último asilo,
oscuro y estrecho,
abrió la piqueta
el nicho a un extremo.
Allí la acostaron,
tapáronle luego,
y con un saludo
despidióse el duelo.

La piqueta al hombro,
el sepulturero
cantando entre dientes
se perdió a lo lejos.
La noche se entraba,
reinaba el silencio;
perdido en las sombras,
medité un momento:
¡Dios mío, qué solos
se quedan los muertos!

En las largas noches
del helado invierno,
cuando las maderas
crujir hace el viento
y azota los vidrios
el fuerte aguacero,
de la pobre niña
a solas me acuerdo.

Allí cae la lluvia
con un son eterno;
allí la combate
el soplo del cierzo.
Del húmedo muro
tendida en el hueco,
¡acaso de frío
se hielan sus huesos!...

. .

¿Vuelve el polvo al polvo
¿Vuela el alma al Cielo?
¿Todo es vil materia,
podredumbre y cieno?
¡No sé; pero hay algo
que explicar no puedo,
que al par nos infunde
repugnancia y duelo,
al dejar tan tristes,
tan solos, los muertos!

LXXIV

Las ropas desteñidas,
desnudas las espaldas,
en el dintel de oro de la puerta,
dos ángeles velaban.

Me aproximé a los hierros
que defienden la entrada,
y de las dobles rejas en el fondo
la vi confusa y blanca.

La vi como la imagen
que en leve ensueño pasa,
como rayo de luz tenue y difuso
que entre tinieblas nada.

Me sentí de un ardiente
deseo llena el alma;
como atrae un abismo, aquel misterio
hacia sí me arrastraba.

Mas, ¡ay!, que de los ángeles
parecían decirme las miradas:
«¡El umbral de esta puerta
sólo Dios lo traspasa!»

LXXV

¿Será verdad que cuando toca el sueño
con sus dedos de rosa nuestros ojos,
de la cárcel que habita huye el espíritu
en vuelo presuroso?

¿Será verdad que, huésped de las nieblas,
de la brisa nocturna al tenue soplo
alado sube a la región vacía
a encontrarse con otros?

¿Allí, desnudo de la humana forma,
allí, los brazos terrenales rotos,
breves horas habita de la idea
el mundo silencioso?

¿Y ríe y llora, y aborrece y ama,
y guarda un rastro del dolor y el gozo,
semejante al que deja cuando cruza
el cielo un meteoro?

¡Yo no sé si ese mundo de visiones
vive fuera o va dentro de nosotros,
pero sé que conozco a muchas gentes
a quienes no conozco!

LXXVI

En la imponente nave
del templo bizantino,
vi la gótica tumba, a la indecisa
luz que temblaba en los pintados vidrios.

Las manos sobre el pecho,
y en las manos un libro,
una mujer hermosa reposaba
sobre la urna, del cincel prodigio.

Del cuerpo abandonado
al dulce peso hundido,
cual si de blanda pluma y raso fuera,
se plegaba su lecho de granito.

De la postrer sonrisa
el resplandor divino
guardaba el rostro, como el cielo guarda,
del sol que muere, el rayo fugitivo.

Del cabezal de piedra
sentados en el filo
dos ángeles, el dedo sobre el labio,
imponían silencio en el recinto.

No parecía muerta;
de los arcos macizos
parecía dormir en la penumbra,
y que en sueños veía el paraíso.

Me acerqué de la nave
al ángulo sombrío,
como quien llega con callada planta
junto a la cuna donde duerme un niño.

La contemplé un momento
y aquel resplandor tibio,
aquel lecho de piedras que ofrecía,
próximo al muro, otro lugar vacío,

en el alma avivaron
la sed de lo infinito,
el ansia de esa vida de la muerte,
para la que un instante son los siglos...

. .

Cansado del combate
en que luchando vivo,
alguna vez recuerdo con envidia
aquel rincón oscuro y escondido.

De aquella muda y pálida
mujer me acuerdo y digo:
«¡Oh, qué amor tan callado el de la muerte!
¡Qué sueño el del sepulcro tan tranquilo!»

LXXVII

Dices que tienes corazón y sólo
lo dices porque sientes sus latidos.
Eso no es corazón...; es una máquina
que al compás que se mueve hace ruïdo.

LXXVIII

Fingiendo realidades
con sombra vana,
delante del Deseo
va la Esperanza.
Y sus mentiras
como el Fénix renacen
de sus cenizas.

LXXIX

Flores tronchadas, marchitas hojas
arrastra el viento;
en los espacios tristes gemidos
repite el eco.

. .

Entre las nieblas de lo pasado,
en las regiones del pensamiento,
gemidos tristes, marchitas galas
son mis recuerdos.

LXXX

Una mujer me ha envenenado el alma,
otra mujer me ha envenenado el cuerpo;
ninguna de las dos vino a buscarme,
yo, de ninguna de las dos me quejo.

Como el mundo es redondo, el mundo rueda.
Si mañana, rodando, este veneno
envenena a su vez, ¿por qué acusarme?
¿Puedo dar más de lo que a mí me dieron?

LXXXI

Es el alba una sombra
de tu sonrisa,
y un rayo de tus ojos
la luz del día;
pero tu alma
es la noche de invierno
negra y helada.

LXXXII

Errante por el mundo fui gritando:
«La gloria, ¿dónde está?»
Y una voz misteriosa contestóme:
«Más allá..., más allá...»

En pos de ella seguí por el camino
que la voz me marcó.
Halléla al fin, pero en aquel instante
en humo se trocó.

Mas el humo, formando denso velo,
se empezó a remontar
y, penetrando en la azulada esfera,
al Cielo fue a parar.

LXXXIII

Negros fantasmas,
nubes sombrías,
huyen ante el destello
de luz divina.
Esa luz santa,
niña de ojos negros,
es la esperanza.

Al calor de sus rayos
mi fe gigante
contra desdenes lucha
sin amenguarse.
En este empeño
es, si grande el martirio,
mayor el premio.

Y si aún muestras, esquiva,
alma de nieve;
si aún no me quisieras,
yo he de quererte.
Mi amor es roca
donde se estrellan tímidas
del mar las olas.

LXXXIV

EL AMOR

(Atribuida)

Yo soy el rayo, la dulce brisa,
lágrima ardiente, fresca sonrisa,
flor peregrina, rama tronchada;
 yo soy quien vibra,
 flecha acerada.

Hay en mi esencia, como en las flores
de mil perfumes, suaves vapores.
Y su fragancia fascinadora
trastorna el alma de quien adora.
Yo mis aromas doquier prodigo
y el más horrible dolor mitigo,
y en grato, dulce, tierno delirio
cambio el más duro, crüel martirio.
¡Ay! Yo encadeno los corazones,
mas son de flores mis eslabones.
 Navego por los mares,
 voy por el viento,
 alejo los pesares
 del pensamiento.
 Yo dicha o pena
 reparto a los mortales
 con faz serena.

Poder terrible, que en mis antojos
brota sonrisas o brota enojos;
poder que abrasa un alma helada,
si airado vibro,
flecha acerada.

Doy las dulces sonrisas a las hermosas,
coloro sus mejillas de nieve y rosas,
humedezco sus labios, y a sus miradas
hago prometer dichas no imaginadas.
Yo hago amable el reposo, grato, halagüeño,
o alejo de los seres el dulce sueño.

Todo a mi poderío rinde homenaje,
todos a mi corona dan vasallaje;
soy Amor, rey del mundo; niña tirana,
ámame, y tú la reina
serás mañana.

LXXXV

(Atribuida)

¿No has sentido en la noche,
cuando reina la sombra,
una voz apagada que canta
y una inmensa tristeza que llora?

¿No sentiste en tu oído de virgen
las silentes y trágicas notas,
que mis dedos de muerto arrancaban
a la lira rota?

¿No sentiste una lágrima mía
deslizarse en tu boca?
¿No sentiste mi mano de nieve
estrechar a la tuya de rosa?

¿No viste entre sueños
por el aire vagar una sombra,
ni sintieron tus labios un beso
que estalló misterioso en la alcoba?

Pues yo juro por ti, vida mía,
que te vi entre mis brazos, miedosa;
que sentí tu aliento de jazmín y nardo
y tu boca pegada a mi boca.

LXXXVI

Yo me acogí como perdido nauta,
a una mujer para pedirle amor,
y fue su amor cansancio a mis sentidos,
 hielo a mi corazón.

Y quedé de mi vida en la carrera
que un mundo de esperanza ayer pobló,
como queda un viandante en el desierto:
 ¡a solas con su Dios!

LXXXVII

 ¡Quién fuera Luna,
 quién fuera brisa,
 quién fuera Sol!

. .

 ¡Quién del crepúsculo
 fuera la hora,
 quién el instante
 de tu oración;
 quién fuera parte
 de la plegaria
 que solitaria
 mandas a Dios!

. .

 ¡Quién fuera Luna,
 quién fuera brisa,
 quién fuera Sol!

LXXXVIII

DE NOCHE

(Atribuida)

Apoyando mi frente calurosa
en el frío cristal de la ventana,
en el silencio de la oscura noche
de su balcón los ojos no apartaba.

En medio de la sombra misteriosa
su vidriera lucía iluminada,
dejando que mi vista penetrase
en el puro santuario de su estancia.

Pálido como el mármol el semblante,
la blonda cabellera destrenzada,
acariciando sus sedosas ondas
sus hombros de alabastro y su garganta,
mis ojos la veían, y mis ojos,
al verla tan hermosa, se turbaban.

Mirábase al espejo; dulcemente
sonreía a su bella imagen lánguida,
y sus mudas lisonjas al espejo
con un beso dulcísimo pagaba...

Mas la luz se apagó; la visión pura
desvanecióse como sombra vana,
y dormido quedé, dándome celos
el cristal que su boca acariciara.

LXXXIX

S O Y Y O

(Atribuida)

Si copia tu frente
del río cercano la pura corriente
y miras tu rostro de amor encendido,
soy yo, que me escondo
del agua, en el fondo
y, loco de amores, a amar te convido;
soy yo, que en tu pecho, buscando morada,
envío a tus ojos mi ardiente mirada,
mi llama divina...
y el fuego que siento la faz te ilumina.

Si en medio del valle
en tardo se trueca tu andar animado,
vacila tu planta, se pliega tu talle...,
soy yo, dueño amado,
que en no vistos lazos
de amor anhelante te estrecho en mis brazos;
soy yo quien te teje la alfombra florida
que vuelve a tu cuerpo la fuerza y la vida;
soy yo quien te sigo
en alas del viento soñando contigo.

Si estando en tu lecho
escuchas acaso celeste armonía,
que llena de goces tu cándido pecho,
soy yo, vida mía...;
soy yo, que elevando...
al cielo tranquilo mi férvido canto;
soy yo, que los aires cruzando ligero
por un ignorado movible sendero,
ansioso de calma,
sediento de amores, penetro en tu alma.

XC

ES UN SUEÑO LA VIDA

Es un sueño la vida,
pero un sueño febril que dura un punto;
cuando de él se despierta,
se ve que todo es vanidad y humo...

¡Ojalá fuera un sueño
muy largo y muy profundo;
un sueño que durara hasta la muerte!...
Yo soñaría con mi amor y el tuyo.

XCI

AMOR ETERNO

Podrá nublarse el Sol eternamente;
podrá secarse en un instante el mar;
podrá romperse el eje de la Tierra
como un débil cristal.

¡Todo sucederá! Podrá la muerte
cubrirme con su fúnebre crespón;
pero jamás en mí podrá apagarse
la llama de tu amor.

XCII

A CASTA

Tu aliento es el aliento de las flores;
tu voz es de los cisnes la armonía;
es tu mirada el esplendor del día
y el color de la rosa es tu color.

Tú prestas nueva vida y esperanza
a un corazón para el amor ya muerto;
tú creces de mi vida en el desierto
como crece en un páramo la flor.

XCIII

A ELISA

(Atribuida)

Para que los leas con tus ojos grises,
para que los cantes con tu clara voz,
para que llenen de emoción tu pecho,
 hice mis versos yo.

Para que encuentren en tu pecho asilo
y les des juventud, vida, calor,
tres cosas que yo no puedo darles,
 hice mis versos yo.

Para hacerte gozar con mi alegría,
para que sufras tú con mi dolor,
para que sientas palpitar mi vida,
 hice mis versos yo.

Para poder poner ante tus plantas
la ofrenda de mi vida y de mi amor,
con alma, sueños rotos, risas, lágrimas,
 hice mis versos yo.

XCIV

A TODOS LOS SANTOS

(1 de noviembre)

(Atribuida)

Patriarcas que fuisteis la semilla
del árbol de la fe en siglos remotos,
al vencedor divino de la muerte
 rogadle por nosotros.

Profetas que rasgasteis inspirados
del porvenir el velo misterioso,
al que sacó la luz de las tinieblas
 rogadle por nosotros.

Almas cándidas, Santos Inocentes,
que aumentáis de los ángeles el coro,
al que llamó a los niños a su lado
 rogadle por nosotros.

Apóstoles que echasteis en el mundo
de la Iglesia el cimiento poderoso,
al que es de la verdad depositario
 rogadle por nosotros.

Mártires que ganasteis vuestra palma
en la arena del circo, en sangre rojo,
al que os dio fortaleza en los combates
 rogadle por nosotros.

Vírgenes semejantes a azucenas
que el verano vistió de nieve y oro,
al que es fuente de vida y hermosura
 rogadle por nosotros.

Monjes que de la vida en el combate
pedisteis paz al claustro silencioso,
al que es iris de calma en las tormentas
 rogadle por nosotros.

Doctores cuyas plumas nos legaron
de virtud y saber rico tesoro,
al que es raudal de ciencia inextinguible
 rogadle por nosotros.

Soldados del Ejército de Cristo,
Santas y Santos todos,
rogadle que perdone nuestras culpas
a Aquél que vive y reina entre vosotros.

XCV

LA GOTA DE ROCÍO

La gota de rocío que en el cáliz
duerme de la blanquísima azucena,
es el palacio de cristal en donde
vive el genio feliz de la pureza.

Él le da su misterio y poesía;
él, su aroma balsámico le presta.
¡Ay de la flor, si de la luz al beso
se evapora esa perla!

XCVI

LEJOS...

Lejos y entre los árboles
de la intrincada selva,
¿no ves algo que brilla
y llora? Es una estrella.

Ya se la ve más próxima,
como a través de un tul,
de una ermita en el pórtico
brillar. Es una luz.

De la carrera rápida
el término está aquí.
Desilusión. No es lámpara ni estrella
la luz que hemos seguido: es un candil.

MAESE PÉREZ EL ORGANISTA

En Sevilla, en el mismo atrio de Santa Inés, y mientras esperaba que comenzase la misa del Gallo, oí esta tradición a una demandadera del convento.

Como era natural, después de oírla, aguardé impaciente que comenzara la ceremonia, ansioso de asistir a un prodigio.

Nada menos prodigioso, sin embargo, que el órgano de Santa Inés, ni más vulgar que los insulsos motetes que nos regaló su organista aquella noche.

Al salir de la misa no puede por menos que decirle a la demandadera con aire de burla:

—¿En qué consiste que el órgano de maese Pérez suena ahora tan mal?

—¡Toma! —me contestó la vieja—. En que éste no es el suyo.

—¿No es el suyo? Pues ¿qué ha sido de él?

—Se cayó a pedazos de puro viejo hace una porción de años.

—¿Y el alma del organista?

Si a alguno de mis lectores se le ocurriese hacerme la misma pregunta después de leer esta historia, ya sabe por qué no se ha continuado el milagroso portento hasta nuestros días.

I

—¿Veis ése de la capa roja y la pluma blanca en el fieltro, que parece que trae sobre su justillo todo el oro de los galeones de Indias; aquél que baja en este momento de su litera para dar la mano a esa otra señora que, después de dejar la suya, se adelanta hacia aquí, precedida de cuatro pajes con hachas? Pues ése es el marqués de Moscoso, galán de la condesa viuda de Villapineda. Se dice que antes de poner sus ojos sobre esta dama había pedido en matrimonio a la hija

de un opulento señor, mas el padre de la doncella, de quien
se murmura que es un poco avaro... Pero ¡calle!, en hablando
del ruin de Roma, cátale aquí que asoma. ¿Veis aquél que
viene por debajo del Arco de San Felipe, a pie, embozado en
una capa oscura y precedido de un solo criado con una lin-
terna? Ahora llega frente al retablo.

«¿Reparasteis, al desembozarse para saludar a la imagen,
en la encomienda que brilla en su pecho? A no ser por ese
noble distintivo, cualquiera le creería un lonjista de la calle
de Culebras... Pues ése es el padre en cuestión. Mirad cómo
la gente del pueblo le abre paso y le saluda. Toda Sevilla le
conoce por su colosal fortuna. Él solo tiene más ducados de
oro en sus arcas que soldados mantiene nuestro señor el rey
don Felipe; y con sus galeones podrían formar una escuadra
suficiente a resistir a la del Gran Turco...

»Mirad, mirad ese grupo de señores graves; ésos son los
caballeros veinticuatro. ¡Hola, hola! También está aquí el
flamencote, a quien se dice que no han echado ya el guante
los señores de la Cruz Verde merced a su influjo con los mag-
nates de Madrid... Éste no viene a la iglesia más que a oír
música... No, pues si maese Pérez no le arranca con su órga-
no lágrimas como puños, bien se puede asegurar que no tiene
su alma en su almario, sino friéndose en las calderas de Pe-
dro Botero... ¡Ay, vecina! Malo..., malo... Presumo que vamos
a tener jarana. Yo me refugio en la iglesia, pues por lo que
veo, aquí van a andar más de sobra los cintarazos que los
Paternóster. Mirad, mirad: las gentes del duque de Alcalá
doblan la esquina de la plaza de San Pedro, y por el callejón
de las Dueñas se me figura que he columbrado a las del de
Medina Sidonia. ¿No os lo dije?

»Ya se han visto, ya se detienen unos y otros, sin pasar de
sus puestos. Los grupos se disuelven. Los ministriles, a quie-
nes en estas ocasiones apalean amigos y enemigos, se reti-
ran... Hasta el señor asistente, con su vara y todo, se refugia
en el atrio... ¡Y luego dicen que hay justicia! Para los pobres...

»Vamos, vamos, ya brillan los broqueles en la oscuridad...
¡Nuestro Señor del Gran Poder nos asista! Ya comienzan los
golpes... ¡Vecina!, ¡vecina!, aquí... antes que cierren las puer-
tas. Pero ¡calle! ¿Qué es eso? Aún no ha comenzado cuando
lo dejan. ¿Qué resplandor es aquél?... ¡Hachas encendidas!
¡Literas! ¡Es el señor arzobispo...!

»La Virgen Santísima del Amparo, a quien invocaba ahora
mismo con el pensamiento, lo trae en mi ayuda. ¡Ay! ¡Si na-
die sabe lo que yo debe a esta Señora!... ¡Con cuánta usura
me paga la candelilla que le enciendo los sábados!... Vedlo
qué hermoso está con sus hábitos morados y su birrete rojo...
Dios le conserve en su silla tantos siglos como yo deseo de
vida para mí. Si no fuera por él, media Sevilla hubiera ya
ardido con estas disensiones de los duques. Vedlos, vedlos, los

hipocritones, cómo se acercan ambos a la litera del prelado para besarle el anillo... Cómo lo siguen y lo acompañan, confundiéndose con sus familiares. Quién diría que esos dos que parecen tan amigos, si dentro de media hora se encuentran en una calle oscura... Es decir, ¡ellos, ellos!... Líbreme Dios de creerlos cobardes; buena muestra han dado de sí peleando en algunas ocasiones contra los enemigos de Nuestro Señor... Pero es la verdad que si se buscaran... y si se buscaran con ganas de encontrarse, se encontrarían, poniendo fin de una vez a estas continuas reyertas, en las cuales los que verdaderamente baten el cobre firme son sus deudos, sus allegados y su servidumbre.

»Pero vamos, vecina, vamos a la iglesia, antes que se ponga de bote en bote..., que algunas noches como ésta suele llenarse de modo que no cabe ni un grano de trigo... Buena ganga tienen las monjas con su organista... ¿Cuándo se ha visto el convento tan favorecido como ahora?... De las otras comunidades puedo decir que le han hecho a maese Pérez proposiciones magníficas. Verdad que nada tiene de extraño, pues hasta el señor arzobispo le ha ofrecido montones de oro por llevarlo a la catedral... Pero él, nada... Primero dejaría la vida que abandonar su órgano favorito... ¿No conocéis a maese Pérez? Verdad es que sois nueva en el barrio... Pues es un santo varón; pobre sí, pero limosnero cual no otro... Sin más parientes que su hija ni más amigo que su órgano, pasa su vida entera en velar por la inocencia de la una y componer los registros del otro... ¡Cuidado que el órgano es viejo!... Pues nada; él se da tal maña en arreglarlo y cuidarlo, que suena que es una maravilla... Como que le conoce de tal modo, que a tientas..., porque no sé si os lo he dicho, pero el pobre señor es ciego de nacimiento... ¡Y con qué paciencia lleva su desgracia!... Cuando le preguntan que cuánto daría por ver, responde: "Mucho, pero no tanto como creéis, porque tengo esperanzas." "¿Esperanzas de ver?" "Sí, y muy pronto —añade sonriéndose como un ángel—. Ya cuento setenta y seis años. Por muy larga que sea mi vida, pronto veré a Dios..."

»¡Pobrecito! Y sí lo verá..., porque es humilde como las piedras de la calle, que se dejan pisar de todo el mundo... Siempre dice que no es más que un pobre organista de convento, y puede dar lecciones de solfa al mismo maestro de capilla de la Primada. Como que echó los dientes en el oficio... Su padre tenía la misma profesión que él. Yo no lo conocí, pero mi señora madre, que santa gloria haya, dice que lo llevaba siempre al órgano consigo para darle a los fuelles. Luego el muchacho mostró tales disposiciones que, como era natural, a la muerte de su padre heredó el cargo... ¡Y qué manos tiene, Dios se las bendiga! Merecía que se las llevaran a la calle de Chicharreros y se las engarzasen en oro... Siempre toca bien, siempre; pero en semejante noche como ésta es un

prodigio... Él tiene una gran devoción por esta ceremonia de la misa del Gallo, y cuando levantan la Sagrada Forma al punto y hora de las doce, que es cuando vino al mundo Nuestro Señor Jesucristo..., las voces de su órgano son voces de ángeles...

»En fin, ¿para qué tengo que ponderarle lo que esta noche oirá? Baste el ver cómo todo lo más florido de Sevilla, hasta el mismo señor arzobispo, vienen a un humilde convento para escucharlo. Y no se crea que sólo la gente sabida y a la que se le alcanza esto de la solfa conoce su mérito, sino que hasta el populacho. Todas esas bandadas que veis llegar con teas encendidas entonando villancicos con gritos desaforados al compás de los panderos, las sonajas y las zambombas, contra su costumbre, que es la de alborotar las iglesias, callan como muertos cuando pone maese Pérez las manos en el órgano...; y cuando alzan..., cuando alzan no se siente una mosca...: de todos los ojos caen lagrimones tamaños, y al concluir se oye como un suspiro inmenso, que no es otra cosa que la respiración de los circunstantes, contenida mientras dura la música... Pero vamos, vamos; ya han dejado de tocar las campanas, y va a comenzar la misa. Vamos adentro... Para todo el mundo es esta noche Nochebuena, pero para nadie mejor que para nosotros.»

Esto diciendo, la buena mujer que había servido de cicerone a su vecina atravesó el atrio del convento de Santa Inés, y codazo en éste, empujón en aquél, se internó en el templo, perdiéndose entre la muchedumbre que se agolpaba en la puerta.

II

La iglesia estaba iluminada con una profusión asombrosa. El torrente de luz que se desprendía de los altares para llenar su ámbitos chispeaba en los ricos joyeles de las damas que, arrodillándose sobre los cojines de terciopelo que tendían los pajes y tomando el libro de oraciones de manos de sus dueñas, vinieron a formar un brillante círculo alrededor de la verja del presbiterio.

Junto a aquella verja, envueltos en sus capas de color, galoneadas de oro, dejando entrever con estudiado descuido las encomiendas rojas y verdes, en la una mano el fieltro, cuyas plumas besaban los tapices; la otra sobre los bruñidos gavilanes del estoque o acariciando el pomo del cincelado puñal, los caballeros veinticuatro, con gran parte de lo mejor de la nobleza sevillana, parecían formar un muro, destinado a defender a sus hijas y a sus esposas del contacto de la plebe. Ésta, que se agitaba en el fondo de las naves con un rumor parecido al del mar cuando se alborota, prorrumpió en una aclamación de júbilo, acompañada del discordante sonido de

las sonajas y los panderos, al mirar aparecer al arzobispo, el cual, después de sentarse junto al altar mayor, bajo un solio de grana que rodearon sus familiares, echó por tres veces la bendición al pueblo.

Era la hora de que comenzase la misa. Transcurrieron, sin embargo, algunos minutos sin que el celebrante apareciese. La multitud comenzaba a rebullirse, demostrando su impaciencia; los caballeros cambiaban entre sí algunas palabras a media voz, y el arzobispo mandó a la sacristía a uno de sus familiares a inquirir por qué no comenzaba la ceremonia.

—Maese Pérez se ha puesto malo, muy malo, y será imposible que asista esta noche a la misa de medianoche.

Ésta fue la respuesta del familiar.

La noticia cundió instantáneamente entre la muchedumbre. Pintar el efecto desagradable que causó en todo el mundo sería cosa imposible; baste decir que comenzó a notarse tal bullicio en el templo, que el asistente se puso de pie y los alguaciles entraron a imponer silencio, confundiéndose entre las apiñadas olas de la multitud.

En aquel momento, un hombre mal trazado, seco, huesudo y bisojo por añadidura, se adelantó hasta el sitio que ocupaba el prelado.

—Maese Pérez está enfermo —dijo—. La ceremonia no puede empezar. Si queréis, yo tocaré el órgano en su ausencia, que ni maese Pérez es el primer organista del mundo, ni a su muerte dejará de usarse ese instrumento por falta de inteligente...

El arzobispo hizo una señal de asentimiento con la cabeza, y ya algunos de los fieles que conocían a aquel personaje extraño por un organista envidioso, enemigo del de Santa Inés, comenzaban a prorrumpir en exclamaciones de disgusto, cuando de improviso se oyó en el atrio un ruido espantoso.

—¡Maese Pérez está aquí!... ¡Maese Pérez está aquí!...

A estas voces de los que estaban apiñados en la puerta todo el mundo volvió la cara.

Maese Pérez, pálido y desencajado, entraba en efecto en la iglesia, conducido en un sillón, que todos se disputaban el honor de llevar en sus hombros.

Los preceptos de los doctores, las lágrimas de su hija, nada había sido bastante a detenerle en el lecho.

—No —había dicho—. Ésta es la última, lo conozco. Lo conozco, y no quiero morir sin visitar mi órgano, y esta noche sobre todo, la Nochebuena. Vamos, lo quiero, lo mando. Vamos a la iglesia.

Sus deseos se habían cumplido. Los concurrentes le subieron en brazos a la tribuna, y comenzó la misa.

En aquel punto sonaban las doce en el reloj de la catedral.

Pasó el Introito y el Evangelio y el Ofertorio, y luego el instante solemne en que el sacerdote, después de haberla con-

sagrado, toma con la extremidad de sus dedos la Sagrada Forma y comienza a elevarla.

Una nube de incienso que se desenvolvía en ondas azuladas llenó el ámbito de la iglesia. Las campanillas repicaron con un sonido vibrante, y maese Pérez puso sus crispadas manos sobre las teclas del órgano.

Las cien voces de sus tubos de metal resonaron en un acorde majestuoso y prolongado, que se perdió poco a poco, como si una ráfaga de aire hubiese arrebatado sus últimos ecos.

A este primer acorde, que parecía una voz que se elevaba desde la Tierra al Cielo, respondió otro lejano y suave, que fue creciendo, creciendo, hasta convertirse en un torrente de atronadora armonía. Era la voz de los ángeles, que atravesando los espacios, llegaba al mundo.

Después comenzaron a oírse como unos himnos distantes que entonaban las jerarquías de serafines. Mil himnos a la vez, al confundirse formaban uno solo que, no obstante, era no más el acompañamiento de una extraña melodía, que parecía flotar sobre aquel océano de misteriosos acordes como un jirón de niebla sobre las olas del mar.

Luego fueron perdiéndose unos cantos, después otros. La combinación se simplificaba. Ya no eran más que dos voces, cuyos ecos se confundían entre sí; luego quedó una aislada, sosteniendo una nota brillante como un hilo de luz... El sacerdote inclinó la frente, y por encima de su cabeza cana, y como a través de una gasa azul que fingía el humo del incienso, apareció la Hostia a los ojos de los fieles. En aquel instante, la nota que maese Pérez sostenía tremando, se abrió, se abrió, y una explosión de armonía gigante estremeció la iglesia, en cuyos ángulos zumbaba el aire comprimido y cuyos vidrios de colores se estremecían en sus angostos ajimeces.

De cada una de las notas que formaban aquel magnífico acorde se desarrolló un tema, y unos cerca, otros lejos, éstos brillantes, aquéllos sordos, diríase que las aguas y los pájaros, la brisa y las frondas, los hombres y los ángeles, la Tierra y los Cielos, cantaban, cada cual en su idioma, un himno al nacimiento del Salvador.

La multitud escuchaba atónita y suspendida. En todos los ojos había una lágrima; en todos los espíritus un profundo recogimiento.

El sacerdote que oficiaba sentía temblar sus manos, porque Aquel que levantaba en ellas, Aquel a quien saludaban hombres y arcángeles, era su Dios, era su Dios, y le parecía haber visto abrirse los Cielos y transfigurarse la Hostia.

El órgano proseguía sonando; pero sus voces se apagaban gradualmente como una voz que se pierde de eco en eco, y se aleja y se debilita al alejarse, cuando de pronto sonó un grito en la tribuna, un grito desgarrador, agudo, un grito de mujer.

El órgano exhaló un sonido discorde y extraño, semejante a un sollozo, y quedó mudo.

La multitud se agolpó a la escalera de la tribuna, hacia la que, arrancados de su éxtasis religioso, volvieron la mirada con ansiedad todos los fieles.

—¿Qué ha sucedido? ¿Qué pasa? —se decían unos a otros, y nadie sabía responder, y todos se empeñaban en adivinarlo, y crecía la confusión, y el alboroto comenzaba a subir de punto, amenazando turbar el orden y el recogimiento propios de la iglesia.

—¿Qué ha sido eso? —preguntaban las damas al asistente que, precedido de los ministriles, fue uno de los primeros en subir a la tribuna, y que pálido y con muestras de profundo pesar se dirigía al puesto en donde lo esperaba el arzobispo, ansioso, como todos, por saber la causa de aquel desorden.

—¿Qué hay?

—Que maese Pérez acaba de morir.

En efecto, cuando los primeros fieles, después de atropellarse por la escalera, llegaron a la tribuna, vieron al pobre organista caído de boca sobre las teclas de su viejo instrumento, que aún vibraba sordamente, mientras su hija, arrodillada a sus pies, le llamaba en vano entre suspiros y sollozos

III

—Buenas noches, mi señora doña Baltasara. ¿También usarced viene esta noche a la misa del Gallo? Por mi parte, tenía hecha intención de ir a oírla a la parroquia; pero lo que sucede... ¿Dónde va Vicente? Donde va la gente. Y eso que, si he de decir la verdad, desde que murió maese Pérez parece que me echan una losa sobre el corazón cuando entro en Santa Inés... ¡Pobrecillo! ¡Era un santo!... Yo de mí sé decir que conservo un pedazo de su jubón como una reliquia, y lo merece... Pues en Dios y en mi ánima que si el señor arzobispo tomara mano en ello, es seguro que nuestros nietos lo verían en los altares... Mas ¡cómo ha de ser!... A muertos y a idos, no hay amigos... Ahora lo que priva es la novedad..., ya me entiende usarced. ¡Qué! ¿No sabe nada de lo que pasa? Verdad que nosotras nos parecemos en eso: de nuestra casita a la iglesia, y de la iglesia a nuestra casita, sin cuidarnos de lo que se dice o déjase de decir... Sólo que yo, así... al vuelo..., una palabra de acá, otra de acullá..., sin ganas de enterarme siquiera, suelo estar al corriente de algunas novedades...

»Pues sí, señor. Parece cosa hecha que el organista de San Román, aquel bisojo que siempre está echando pestes de los otros organistas; aquel perdulariote, que más parece jifero de la puerta de la Carne que maestro de solfa, va a tocar esta Nochebuena en lugar de maese Pérez. Ya sabrá usarced, por-

que esto lo ha sabido todo el mundo y es cosa pública en Sevilla,
que nadie quería comprometerse a hacerlo. Ni aun su hija, que
es profesora y después de la muerte de su padre entró en el
convento de novicia. Y era natural: acostumbrados a oír aque-
llas maravillas, cualquier otra cosa había de parecernos mala,
por más que quisieran evitarse las comparaciones. Pues cuan-
do ya la comunidad había decidido que en honor del difunto,
y como muestra de respeto a su memoria, permanecería ca-
llado el órgano en esta noche, hete aquí que se presenta nues-
tro hombre diciendo que él se atreve a tocarlo... No hay nada
más atrevido que la ignorancia... Cierto que la culpa no es
suya, sino de los que le consienten esta profanación... Pero así
va el mundo... Y digo... No es cosa la gente que acude... Cual-
quiera diría que nada ha cambiado de un año a otro. Los mis-
mos personajes, el mismo lujo, los mismos empellones en la
puerta, la misma animación en el atrio, la misma multitud en
el templo... ¡Ay si levantara la cabeza el muerto! Se volvía a
morir por no oír su órgano tocado por manos semejantes.

»Lo que tiene que, si es verdad lo que me han dicho, las
gentes del barrio le preparan una buena al intruso. Cuando
llegue el momento de poner la mano sobre las teclas va a co-
menzar una algarabía de sonajas, panderos y zambombas que
no haya más que oír... Pero ¡calle!, ya entra en la iglesia el
héroe de la función. ¡Jesús, qué ropilla de colorines, qué gor-
guera de cañutos, qué aires de personaje! Vamos, vamos, que
ya hace rato que llegó el arzobispo y va a comenzar la misa...
Vamos, que me parece que esta noche va a darnos que contar
para muchos días.»

Esto diciendo, la buena mujer, que ya conocen nuestros lec-
tores por sus exabruptos de locuacidad, penetró en Santa Inés,
abriéndose, según costumbre, un camino entre la multitud a
fuerza de empellones y codazos.

Ya se había dado principio a la ceremonia. El templo estaba
tan brillante como el año anterior.

El nuevo organista, después de atravesar por en medio de
los fieles que ocupaban las naves para ir a besar el anillo del
prelado, había subido a la tribuna, donde tocaba, unos tras
otros, los registros del órgano con una gravedad tan afectada
como ridícula.

Entre la gente menuda que se apiñaba a los pies de la igle-
sia, se oía un rumor sordo y confuso, cierto presagio de que
la tempestad comenzaba a fraguarse y no tardaría mucho en
dejarse sentir.

—Es un truhán que, por no hacer nada bien, ni aun mira
a derechas —decían los unos.

—Es un ignorantón que, después de haber puesto el órgano
de su parroquia peor que una carraca, viene a profanar el de
maese Pérez —decían los otros.

Y mientras éste se desembarazaba del capote para prepararse a darle de firme a su pandero, y aquél apercibía sus sonajas, y todos se disponían a hacer bulla a más y mejor, sólo alguno que otro se aventuraba a defender tibiamente al extraño personaje, cuyo porte orgulloso y pedantesco hacía tan notable contraposición con la modesta apariencia y la afable bondad del difunto maese Pérez.

Al fin llegó el esperado momento, el momento solemne en que el sacerdote, después de inclinarse y murmurar algunas palabras santas, tomó la Hostia en sus manos... Las campanillas repicaron, asemejando su repique una lluvia de notas de cristal. Se elevaron las diáfanas ondas del incienso, y sonó el órgano.

Una estruendosa algarabía llenó los ámbitos de la iglesia en aquel instante y ahogó su primer acorde.

Zampoñas, gaitas, sonajas, panderos, todos los instrumentos del populacho alzaron sus discordantes voces a la vez; pero la confusión y el estrépito sólo duró algunos segundos. Todos a la vez, como habían comenzado, enmudecieron de pronto.

El segundo acorde, amplio, valiente, magnífico, se sostenía aún, brotando de los tubos de metal del órgano como una cascada de armonía inagotable y sonora.

Cantos celestes como los que acarician los oídos en los momentos de éxtasis; cantos que percibe el espíritu y no los puede repetir el labio; notas sueltas de una melodía lejana, que suenan a intervalos, traídas en las ráfagas del viento; rumor de hojas que se besan en los árboles con un murmullo semejante al de la lluvia; trinos de alondras que se levantan gorjeando de entre las flores como una saeta despedida a las nubes; estruendos sin nombre, imponentes como los rugidos de una tempestad; coros de serafines sin ritmo ni cadencia; ignota música del Cielo que sólo la imaginación comprende; himnos alados que parecían remontarse al trono del Señor como una tromba de luz y de sonidos..., todo lo expresaban las cien voces del órgano con más pujanza, con más misteriosa poesía, con más fantástico color que lo habían expresado nunca.

. .

Cuando el organista bajó de la tribuna, la muchedumbre que se agolpó a la escalera fue tanta y tanto su afán por verlo y admirarlo, que el asistente, temiendo, no sin razón, que lo ahogaran entre todos, mandó a algunos de sus ministriles para que, vara en mano, le fueran abriendo camino hasta llegar al altar mayor, donde el prelado le esperaba.

—Ya veis —le dijo este último cuando le trajeron a su presencia—. Vengo desde mi palacio aquí sólo por escucharos. ¿Seréis tan cruel como maese Pérez, que nunca quiso excusarme el viaje tocando la Nochebuena en la misa de la catedral?

—El año que viene —respondió el organista— prometo daros el gusto, pues por todo el oro de la Tierra no volvería a tocar este órgano.

—¿Y por qué? —interrumpió el prelado.

—Porque... —añadió el organista, procurando dominar la emoción que se revelaba en la palidez de su rostro—, porque es viejo y malo, y no puede expresarse todo lo que se quiere.

El arzobispo se retiró, seguido de sus familiares. Unas tras otras, las literas de los señores fueron desfilando y perdiéndose en las revueltas de las calles vecinas; los grupos del atrio se disolvieron, dispersándose los fieles en distintas direcciones, y ya la demandadera se disponía a cerrar las puertas de la entrada del atrio, cuando se divisaban aún dos mujeres que, después de persignarse y murmurar una oración ante el retablo del Arco de San Felipe, prosiguieron su camino, internándose en el callejón de las Dueñas.

—¡Qué quiere usarced, mi señora doña Baltasara! —decía la una—. Yo soy de este genial. Cada loco con su tema... Me lo habían de asegurar capuchinos descalzos y no lo creería del todo... Ese hombre no puede haber tocado lo que acabamos de escuchar... Si yo lo he oído mil veces en San Bartolomé, que era su parroquia, y de donde tuvo que echarlo el señor cura por malo, y era cosa de taparse los oídos con algodones... Y luego, si no hay más que mirarlo al rostro que, según dicen, es el espejo del alma... Yo me acuerdo, pobrecito, como si lo estuviera viendo, me acuerdo de la cara de maese Pérez cuando en semejante noche como ésta bajaba de la tribuna, después de haber suspendido al auditorio con sus primores... ¡Qué sonrisa tan bondadosa, qué color tan animado!... Era viejo y parecía un ángel... No que éste, que ha bajado las escaleras a trompicones, como si le ladrase un perro en la meseta, y con un color de difunto y unas... Vamos, mi señora doña Baltasara, créame usarced, y créame con todas veras; yo sospecho que aquí hay busilis...

Comentando las últimas palabras, las dos mujeres doblaban la esquina del callejón y desaparecían.

Creemos inútil decir a nuestros lectores quién era una de ellas.

IV

Había transcurrido un año más. La abadesa del convento de Santa Inés y la hija de maese Pérez hablaron en voz baja, medio ocultas entre las sombras del coro de la iglesia. El esquilón llamaba a voz herida a los fieles desde la torre, y alguna que otra rara persona atravesaba el atrio, silencioso y desierto esta vez, y después de tomar el agua bendita en la puerta, escogía un puesto en un rincón de las naves, donde

unos cuantos vecinos del barrio esperaban tranquilamente que comenzara la misa del Gallo.

—Ya lo veis —decía la superiora—: vuestro temor es sobremanera pueril; nadie hay en el templo; toda Sevilla acude en tropel a la catedral esta noche. Tocad vos el órgano y tocadlo sin desconfianza de ninguna clase; estaremos en comunidad... Pero..., proseguís callando, sin que cesen vuestros suspiros. ¿Qué os pasa? ¿Qué tenéis?

—Tengo... miedo —exclamó la joven con un acento profundamente conmovido.

—¡Miedo! ¿De qué?

—«No sé..., de una cosa sobrenatural... Anoche, mirad, yo os había oído decir que teníais empeño en que tocase el órgano en la misa y, ufana con esta distinción, pensé arreglar sus registros y templarlos, a fin de que hoy os sorprendiese... Vine al coro..., sola..., abrí la puerta que conduce a la tribuna... En el reloj de la catedral sonaba en aquel momento una hora..., no sé cuál; muchas..., estuvieron sonando todo el tiempo que yo permanecí como clavada en el umbral, y aquel tiempo me pareció un siglo. La iglesia estaba desierta y oscura... Allá lejos, en el fondo, brillaba, como una estrella perdida en el cielo de la noche, una luz moribunda...: la luz de la lámpara que arde en el altar mayor... A sus reflejos debilísimos, que sólo contribuían a hacer más visible todo el profundo horror de las sombras, vi..., lo vi, madre, no lo dudéis; vi a un hombre que en silencio y vuelto de espaldas hacia el sitio en que yo estaba, recorría con una mano las teclas del órgano, mientras tocaba con la otra sus registros..., y el órgano sonaba; pero sonaba de una manera indescriptible. Cada una de sus notas parecía un sollozo ahogado dentro del tubo de metal, que vibraba con el aire comprimido en su hueco, y reproducía el tono sordo, casi imperceptible, pero justo.

»Y el reloj de la catedral continuaba dando la hora, y el hombre aquel proseguía recorriendo las teclas. Yo oía su respiración.

»El horror había helado la sangre de mis venas; sentía en mi cuerpo como un frío glacial, y en mis sienes fuego... Entonces quise gritar, quise gritar, pero no pude... El hombre aquel había vuelto la cara y me había mirado...; digo mal, no me había mirado, porque era ciego... ¡Era mi padre!»

—¡Bah! Hermana, desechad esas fantasías con que el enemigo malo procura turbar las imaginaciones débiles... Rezad un Paternóster y una Avemaría al arcángel San Miguel, jefe de las milicias celestiales, para que os asista contra los malos espíritus. Llevad al cuello un escapulario tocado en la reliquia de San Pacomio, abogado contra las tentaciones, y marchad, marchad a ocupar la tribuna del órgano; la misa va a comenzar, y ya esperan con impaciencia los fieles... Vuestro padre está en el Cielo, y desde allí, antes que a daros sustos, bajará

a inspirar a su hija en esta ceremonia solemne, para el objeto de tan especial devoción.

La priora fue a ocupar su sillón en el coro en medio de la comunidad. La hija de maese Pérez abrió con mano temblorosa la puerta de la tribuna para sentarse en el banquillo del órgano, y comenzó la misa.

Comenzó la misa y prosiguió sin que ocurriese nada de notable hasta que llegó la consagración. En aquel momento sonó el órgano, y al mismo tiempo que el órgano, un grito de la hija de maese Pérez. La superiora, las monjas y algunos de los fieles corrieron a la tribuna.

—¡Miradlo, miradlo! —decía la joven, fijando sus desencajados ojos en el banquillo, de donde se había levantado, asombrada, para agarrarse con sus manos convulsas al barandal de la tribuna.

Todo el mundo fijó sus miradas en aquel punto. El órgano estaba solo y, no obstante, el órgano seguía sonando..., sonando como sólo los arcángeles podrían imitarlo... en sus raptos de místico alborozo.

<p align="center">*</p>

—¿No os lo dije yo una y mil veces, mi señora doña Baltasara, no os lo dije yo? ¡Aquí hay busilis! Oídlo. ¡Qué!, ¿no estuvisteis anoche en la misa del Gallo? Pero en fin, ya sabréis lo que pasó. En toda Sevilla no se habla de otra cosa... El señor arzobispo está hecho, y con razón, una furia... Haber dejado de asistir a Santa Inés; no haber podido presenciar el portento..., y ¿para qué?... Para oír una cencerrada, porque personas que lo oyeron dicen que lo que hizo el dichoso organista de San Bartolomé en la catedral no fue otra cosa... ¡Si lo decía yo! Eso no puede haberlo tocado el bisojo, mentira...; aquí hay busilis, y el busilis era, en efecto, el alma de maese Pérez.

LOS OJOS VERDES

Hace mucho tiempo que tenía ganas de escribir cualquier cosa con este título. Hoy, que se me ha presentado ocasión, lo he puesto con letras grandes en la primera cuartilla de papel, y luego he dejado a capricho volar la pluma.

Yo creo que he visto unos ojos como los que he pintado en esta leyenda. No sé si en sueños, pero yo los he visto. De seguro que no los podré describir tales cuales ellos eran: luminosos, transparentes, como las gotas de la lluvia que se resbalan sobre las hojas de los árboles después de una tempestad de verano. De todos modos, cuento con la imaginación de mis lectores para hacerme comprender en este que pudiéramos llamar boceto de un cuadro que pintaré algún día.

I

—Herido va el ciervo..., herido va; no hay duda. Se ve el rastro de la sangre entre las zarzas del monte, y al saltar uno de sus lentiscos han flaqueado sus piernas... Nuestro joven señor comienza por donde otros acaban... En cuarenta años de montero no he visto mejor golpe... Pero ¡por San Saturio, patrón de Soria!, cortadle el paso por esas carrascas, azuzad los perros, soplad en esas trompas hasta echar los hígados y hundidles a los corceles una cuarta de hierro en los ijares; ¿no veis que se dirige hacia la fuente de los Álamos y si la salva antes de morir podemos darlo por perdido?

Las cuencas de Moncayo repitieron de eco en eco el bramido de las trompas, el latir de la jauría desencadenada, y las voces de los pajes resonaron con nueva furia, y el confuso tropel de hombres, caballos y perros se dirigió al punto que Íñigo, el montero mayor de los marqueses de Almenar, señalaba como el más a propósito para cortarle el paso a la res.

Pero todo fue inútil. Cuando el más ágil de los lebreles llegó a las carrascas, jadeante y cubiertas las fauces de espuma, ya el ciervo, rápido como una saeta, las había salvado de un

solo brinco, perdiéndose entre los matorrales de una trocha que conducía a la fuente.

—¡Alto!... ¡Alto todo el mundo! —gritó Íñigo entonces—. Estaba de Dios que había de marcharse.

Y la cabalgata se detuvo, y enmudecieron las trompas, y los lebreles, refunfuñando, dejaron la pista a la voz de los cazadores.

En aquel momento se reunía a la comitiva el héroe de la fiesta, Fernando de Argensola, el primogénito de Almenar.

—¿Qué haces? —exclamó, dirigiéndose a su montero, y en tanto, ya se pintaba el asombro en sus facciones, ya ardía la cólera en sus ojos—. ¿Qué haces, imbécil? ¡Ves que la pieza está herida, que es la primera que cae por mi mano, y abandonas el rastro y la dejas perder para que vaya a morir en el fondo del bosque! ¿Crees acaso que he venido a matar ciervos para festines de lobos?

—Señor —murmuró Íñigo entre dientes—, es imposible pasar de este punto.

—¡Imposible! Y ¿por qué?

—Porque esa trocha —prosiguió el montero— conduce a la fuente de los Álamos; la fuente de los Álamos, en cuyas aguas habita un espíritu del mal. El que osa enturbiar su corriente paga caro su atrevimiento. Ya la res habrá salvado sus márgenes. ¿Cómo las salvaréis vos sin atraer sobre vuestra cabeza alguna calamidad horrible? Los cazadores somos reyes del Moncayo, pero reyes que pagan un tributo. Pieza que se refugia en esa fuente misteriosa, pieza perdida.

—¡Pieza perdida! Primero perderé yo el señorío de mis padres, y primero perderé el ánima en manos de Satanás, que permitir que se me escape ese ciervo, el único que ha herido mi venablo, la primicia de mis excursiones de cazador... ¿Lo ves?... ¿Lo ves?... Aún se distingue a intervalos desde aquí: las piernas le fallan, su carrera se acorta; déjame... déjame; suelta esa brida o te revuelco en el polvo... ¿Quién sabe si no le daré lugar para que llegue a la fuente? Y si llegase, al diablo ella, su limpidez y sus habitadores. ¡Sus! ¡*Relámpago!*; ¡sus, caballo mío! Si lo alcanzas, mando engarzar los diamantes de mi joyel en tu serreta de oro.

Caballo y jinete partieron como un huracán. Íñigo los siguió con la vista hasta que se perdieron en la maleza; después volvió los ojos en derredor suyo; todos, como él, permanecieron inmóviles y consternados.

El montero exclamó al fin:

—Señores, vosotros lo habéis visto: me he expuesto a morir entre los pies de su caballo por detenerle. Yo he cumplido con mi deber. Con el diablo no sirven valentías. Hasta aquí llega el montero con su ballesta; de aquí adelante, que pruebe a pasar el capellán con su hisopo.

II

—Tenéis la color quebrada; andáis mustio y sombrío. ¿Qué os sucede? Desde aquel día, que yo siempre tendré por funesto, en que llegasteis a la fuente de los Álamos en pos de la res herida, diríase que una mala bruja os ha encanijado con sus hechizos. Ya no vais a los montes precedido de la ruidosa jauría, ni el clamor de vuestras trompas despierta sus ecos. Solo con esas cavilaciones que os persiguen, todas las mañanas tomáis la ballesta para enderezaros a la espesura y permanecer en ella hasta que el sol se esconde. Y cuando la noche oscurece y volvéis pálido y fatigado al castillo, en balde busco en la bandolera los despojos de la caza. ¿Qué os ocupa tan largas horas lejos de los que más os quieren?

Mientras Íñigo hablaba, Fernando, absorto en sus ideas, sacaba maquinalmente astillas de su escaño de ébano con el cuchillo de monte.

Después de un largo silencio, que sólo interrumpía el chirrido de la hoja al resbalar sobre la pulimentada madera, el joven exclamó dirigiéndose a su servidor, como si no hubiera escuchado una sola de sus palabras:

—Íñigo, tú, que eres viejo; tú, que conoces todas las guaridas del Moncayo, que has vivido en sus faldas persiguiendo a las fieras, y en tus errantes excursiones de cazador subiste más de una vez a su cumbre, dime: ¿has encontrado por acaso una mujer que vive entre sus rocas?

—¡Una mujer! —exclamó el montero con asombro y mirándolo de hito en hito.

—Sí —dijo el joven—; es una cosa extraña lo que me sucede, muy extraña... Creí poder guardar ese secreto eternamente, pero no es ya posible; rebosa en mi corazón y asoma a mi semblante. Voy, pues, a revelártelo... Tú me ayudarás a desvanecer el misterio que envuelve a esa criatura que, al parecer, sólo para mí existe, pues nadie la conoce, ni la ha visto, ni puede darme razón de ella.

El montero sin despegar los labios, arrastró su banquillo hasta colocarse junto al escaño de su señor, del que no apartaba un punto los espantados ojos. Éste, después de coordinar sus ideas, prosiguió así:

—«Desde el día en que, a pesar de tus funestas predicciones, llegué a la fuente de los Álamos y, atravesando sus aguas, recobré el ciervo que vuestra superstición hubiera dejado huir, se llenó mi alma del deseo de la soledad.

»Tú no conoces aquel sitio. Mira: la fuente brota escondida en el seno de una peña, y cae resbalando gota a gota por entre las verdes y flotantes hojas de las plantas que crecen al borde de su cuna. Aquellas gotas, que al desprenderse brillan como puntos de oro y suenan como las notas de un instru-

mento, se reúnen entre los céspedes y, susurrando, con un ruido
semejante al de las abejas que zumban en torno de las flores,
se alejan por entre las arenas, y forman un cauce, y luchan
con los obstáculos que se oponen a su camino, y se repliegan
sobre sí mismas, y saltan, y huyen, y corren, unas veces con
risas, otras con suspiros, hasta caer en un lago. En el lago
caen con un rumor indescriptible. Lamentos, palabras, nom-
bres, cantares, yo no sé lo que he oído en aquel rumor cuando
me he sentado solo y febril sobre el peñasco, a cuyos pies
saltan las aguas de la fuente misteriosa para estancarse en
una balsa profunda, cuya inmóvil superficie apenas riza el
viento de la tarde.

»Todo es allí grande. La soledad, con sus mil rumores des-
conocidos, vive en aquellos lugares y embriaga el espíritu de
su inefable melancolía. En las plateadas hojas de los álamos,
en los huecos de las peñas, en las ondas del agua, parece que
nos hablan los invisibles espíritus de la Naturaleza, que reco-
nocen un hermano en el inmortal espíritu del hombre.

»Cuando al despuntar la mañana me veías tomar la ballesta
y dirigirme al monte, no era nunca para perderme entre sus
matorrales en pos de la caza, no; iba a sentarme al borde de
la fuente, a buscar en sus ondas..., no sé qué, ¡una locura! El
día en que salté sobre ella con mi *Relámpago*, creí haber
visto brillar en su fondo una cosa extraña..., muy extraña...:
los ojos de una mujer.

»Tal vez sería un rayo de sol que serpeó fugitivo entre su
espuma; tal vez una de esas flores que flotan entre las algas
de su seno y cuyos cálices parecen esmeralda...; no sé; yo creí
ver una mirada que se clavó en la mía, una mirada que en-
cendió en mi pecho un deseo absurdo, irrealizable: el de en-
contrar una persona con unos ojos como aquéllos. En su
busca fui un día y otro a aquel sitio.

»Por último, una tarde..., yo me creí juguete de un sueño...;
pero no, es verdad; la he hablado ya muchas veces, como te
hablo a ti ahora...; una tarde encontré sentada en mi puesto,
y vestida con unas ropas que llegaban hasta las aguas y flota-
ban sobre su haz, una mujer hermosa sobre toda ponderación.
Sus cabellos eran como el oro; sus pestañas volteaban in-
quietas unas pupilas que no había visto..., sí, porque los ojos
de aquella mujer eran de un color imposible; unos ojos...»

—¡Verdes! —exclamó Íñigo con un acento de profundo
terror, e incorporándose de un salto de su asiento.

Fernando le miró a su vez como asombrado de que conclu-
yese lo que iba a decir, y le preguntó con una mezcla de
ansiedad y de alegría:

—¿La conoces?

—¡Oh, no! —dijo el montero—. ¡Líbreme Dios de conocerla!
Pero mis padres, al prohibirme llegar hasta esos lugares, me
dijeron mil veces que el espíritu, trasgo, demonio o mujer que

habita en sus aguas tiene los ojos de ese color. Yo os con-
juro, por lo que más améis en la Tierra, a no volver a la
fuente de los Álamos. Un día u otro os alcanzará su ven-
ganza, y expiaréis, muriendo, el delito de haber encenagado
sus ondas.

—¡Por lo que más amo! —murmuró el joven con una triste
sonrisa.

—Sí —prosiguió el anciano—; por vuestros padres, por
vuestros deudos, por las lágrimas de la que el cielo destina
para vuestra esposa, por las de un servidor que os ha visto
nacer...

—¿Sabes tú lo que más amo en el mundo? ¿Sabes tú por
qué daría yo el amor de mi padre, los besos de la que me dio
la vida y todo el cariño que pueden atesorar las mujeres de
la Tierra? Por una mirada, por una sola mirada de esos ojos...
¡Mira cómo podré yo dejar de buscarlos!

Dijo Fernando estas palabras con tal acento, que la lágri-
ma que temblaba en los párpados de Íñigo se resbaló silenciosa
por su mejilla, mientras exclamó con acento sombrío:

—¡Cúmplase la voluntad del Cielo!

III

—¿Quién eres tú? ¿Cuál es tu patria? ¿En dónde habitas?
Yo vengo un día y otro en tu busca, y ni veo el corcel que
te trae a estos lugares ni a los servidores que conducen tu
litera. Rompe de una vez el misterioso velo en que te envuel-
ves como en una noche profunda. Yo te amo y, noble o villana,
seré tuyo, tuyo siempre...

El sol había traspuesto la cumbre del monte; las sombras
bajaban a grandes pasos por su falda; la brisa gemía entre
los álamos de la fuente, y la niebla, elevándose poco a poco de
la superficie del lago, comenzaba a envolver las rocas de su
margen.

Sobre una de estas rocas, sobre una que parecía próxima a
desplomarse en el fondo de las aguas, en cuya superficie se
retrataba, temblando, el primogénito de Almenar, de rodillas
a los pies de su misteriosa amante, procuraba en vano arran-
carle el secreto de su existencia.

Ella era hermosa, hermosa y pálida como una estatua de
alabastro. Uno de sus rizos caía sobre sus hombros, desli-
zándose entre los pliegues del velo como un rayo de sol que
atraviesa las nubes, y en el cerco de sus pestañas rubias
brillaban sus pupilas, como dos esmeraldas sujetas en una
joya de oro.

Cuando el joven acabó de hablarle, sus labios se movieron
como para pronunciar algunas palabras; pero sólo exhalaron

un suspiro, un suspiro débil, doliente, como el de la ligera onda que empuja una brisa al morir entre los juncos.

—¡No me respondes! —exclamó Fernando al ver burlada su esperanza—. ¿Querrás que dé crédito a lo que de ti me han dicho? ¡Oh!, no... Háblame; yo quiero saber si me amas; yo quiero saber si puedo amarte, si eres una mujer...

—O un demonio... ¿Y si lo fuese?

El joven vaciló un instante; un sudor frío corrió por sus miembros; sus pupilas se dilataron al fijarse con más intensidad en las de aquella mujer, y fascinado por su brillo fosfórico, demente casi, exclamó en un arrebato de amor:

—Si lo fueses..., te amaría..., te amaría como te amo ahora, como es mi destino amarte, hasta más allá de esta vida, si hay algo más allá de ella.

—Fernando —dijo la hermosa entonces con una voz semejante a una música—, yo te amo más aún que tú me amas; yo, que desciendo hasta un mortal siendo un espíritu puro. No soy una mujer como las que existen en la Tierra; soy una mujer digna de ti, que eres superior a los demás hombres. Yo vivo en el fondo de estas aguas, incorpórea como ellas, fugaz y transparente; hablo con sus rumores y ondulo con sus pliegues. Yo no castigo al que osa turbar la fuente donde moro; antes le premio con mi amor, como a un mortal superior a las supersticiones del vulgo, como a un amante capaz de comprender mi cariño extraño y misterioso.

Mientras ella hablaba así, el joven, absorto en la contemplación de su fantástica hermosura, atraído como por una fuerza desconocida, se aproximaba más y más al borde de la roca. La mujer de los ojos verdes prosiguió así:

—¿Ves, ves el límpido fondo de ese lago? ¿Ves esas plantas de largas y verdes hojas que se agitan en su fondo?... Ellas nos darán un lecho de esmeraldas y corales..., y yo..., yo te daré una felicidad sin nombre, esa felicidad que has soñado en tus horas de delirio, y que no puede ofrecerte nadie... Ven; la niebla del lago flota sobre nuestras frentes como un pabellón de lino...; las ondas nos llaman con sus voces incomprensibles; el viento empieza entre los álamos sus himnos de amor; ven...; ven...

La noche empezaba a extender sus sombras; la Luna rielaba en la superficie del lago; la niebla se arremolinaba al soplo del aire, y los ojos verdes brillaban en la oscuridad como los fuegos fatuos que corren sobre el haz de las aguas infectas... «Ven..., ven...» Estas palabras zumbaban en los oídos de Fernando como un conjuro. «Ven...» Y la mujer misteriosa lo llamaba al borde del abismo, donde estaba suspendida, y parecía ofrecerle un beso..., un beso...

Fernando dio un paso hacia ella..., otro..., y sintió unos brazos delgados y flexibles que se liaban a su cuello, y una

sensación fría en sus labios ardorosos, un beso de nieve..., y vaciló..., y perdió pie, y cayó al agua con un rumor sordo y lúgubre.

Las aguas saltaron en chispas de luz y se cerraron sobre su cuerpo, y sus círculos de plata fueron ensanchándose, ensanchándose, hasta expirar en las orillas.

EL RAYO DE LUNA

Yo no sé si esto es una historia que parece cuento o un cuento que parece historia; lo que puedo decir es que en su fondo hay una verdad, una verdad muy triste, de la que acaso yo seré uno de los últimos en aprovecharme, dadas mis condiciones de imaginación.

Otro, con esta idea, tal vez hubiera hecho un tomo de filosofía lacrimosa; yo he escrito esta leyenda, que a los que nada vean en su fondo, al menos podrá entretenerles un rato.

I

Era noble, había nacido entre el estruendo de las armas, y el insólito clamor de una trompa de guerra no le hubiera hecho levantar la cabeza un instante ni apartar sus ojos un punto del oscuro pergamino en que leía la última cantiga de un trovador.

Los que quisieran encontrarle no lo debían buscar en el anchuroso patio de su castillo, donde los palafreneros domaban los potros, los pajes enseñaban a volar a los halcones y los soldados se entretenían los días de reposo en afilar el hierro de su lanza contra una piedra.

—¿Dónde está Manrique? ¿Dónde está vuestro señor? —preguntaba algunas veces su madre.

—No sabemos —respondían sus servidores—; acaso estará en el claustro del monasterio de la Peña, sentado al borde de una tumba, prestando oído a ver si sorprende alguna palabra de la conversación de los muertos; o en el puente, mirando correr unas tras otras las olas del río por debajo de sus arcos; o acurrucado en la quiebra de una roca y entretenido en contar las estrellas del cielo, en seguir una nube con la vista o contemplar los fuegos fatuos que cruzan como exhalaciones sobre el haz de las lagunas. En cualquier parte estará, menos en donde esté todo el mundo.

En efecto, Manrique amaba la soledad, y la amaba de tal modo, que algunas veces hubiera deseado no tener sombra, porque su sombra no le siguiese a todas partes.

Amaba la soledad, porque en su seno, dando rienda suelta a la imaginación, forjaba un mundo fantástico, habitado por extrañas creaciones, hijas de sus delirios y ensueños de poeta; porque Manrique era poeta, tanto, que nunca le habían satisfecho las formas en que pudiera encerrar sus pensamientos, y nunca los había encerrado al escribirlos.

Creía que entre las rojas ascuas del hogar habitaban espíritus de fuego de mil colores, que corrían como insectos de oro a lo largo de los troncos encendidos o danzaban en una luminosa ronda de chispas en la cúspide de las llamas, y se pasaba las horas muertas sentado en un escabel junto a la alta chimenea gótica, inmóvil y con los ojos fijos en la lumbre.

Creía que en el fondo de las ondas del río, entre los musgos de la fuente y entre los vapores del lago, vivían unas mujeres misteriosas, hadas, sílfides u ondinas, que exhalaban lamentos y suspiros, o cantaban y se reían en el monótono rumor del agua, rumor que oía en silencio intentando traducirlo.

En las nubes, en el aire, en el fondo de los bosques, en las grietas de las peñas, imaginaba percibir formas o escuchar sonidos misteriosos, formas de seres sobrenaturales, palabras ininteligibles que no podía comprender.

¡Amar! Había nacido para soñar el amor, no para sentirlo. Amaba a todas las mujeres un instante: a ésta porque era rubia, a aquélla porque tenía los labios rojos, a la otra porque se cimbreaba al andar como un junco.

Algunas veces llegaba su delirio hasta el punto de quedarse una noche entera mirando a la luna, que flotaba en el cielo entre un vapor de plata, o a las estrellas, que temblaban a lo lejos como los cambiantes de las piedras preciosas. En aquellas largas noches de poético insomnio exclamaba: «Si es verdad, como el prior de la Peña me ha dicho, que es posible que esos puntos de luz sean mundos; si es verdad que en ese globo de nácar que rueda sobre las nubes habitan gentes, ¡qué mujeres tan hermosas serán las mujeres de esas regiones luminosas! ¡Y yo no podré verlas, y yo no podré amarlas!... ¿Cómo será su hermosura?... ¿Cómo será su amor?»

Manrique no estaba aún lo bastante loco para que le siguiesen los muchachos, pero sí lo suficiente para hablar y gesticular a solas, que es por donde se empieza.

II

Sobre el Duero, que pasa lamiendo las carcomidas y oscuras piedras de las murallas de Soria, hay un puente que conduce de la ciudad al antiguo convento de los Templarios, cuyas posesiones se extendían a lo largo de la opuesta margen del río.

En la época a que nos referimos, los caballeros de la Orden habían ya abandonado sus históricas fortalezas; pero aún quedaban en pie los restos de los anchos torreones de sus muros; aún se veían, como en parte se ven hoy, cubiertos de hiedra y campanillas blancas, los macizos arcos de sus claustros, las prolongadas galerías ojivales de sus patios de armas en las que suspiraba el viento con un gemido, agitando las altas yerbas.

En los huertos y en los jardines, cuyos senderos no hollaban hacía muchos años las plantas de los religiosos, la vegetación, abandonada a sí misma, desplegaba todas sus galas, sin temor de que la mano del hombre la mutilase, creyendo embellecerla.

Las plantas trepadoras subían encaramándose por los añosos troncos de los árboles; las sombrías calles de álamos, cuyas copas se tocaban y se confundían entre sí, se habían cubierto de césped; los cardos silvestres y las ortigas brotaban en medio de los enarenados caminos, y en los trozos de fábrica, próximos a desplomarse, el jaramago, flotando al viento como penacho de una cimera, y las campanillas blancas y azules, balanceándose como un columpio sobre sus largos y flexibles tallos, pregonaban la victoria de la destrucción y la ruina.

Era de noche; una noche de verano, templada, llena de perfumes y rumores apacibles, y con una luna blanca y serena en mitad de un cielo azul, luminoso y transparente.

Manrique, presa su imaginación de un vértigo de poesía, después de atravesar el puente, desde donde contempló un momento la negra silueta de la ciudad, que se destacaba sobre el fondo de algunas nubes blanquecinas y ligeras arrolladas en el horizonte, se internó en las desiertas ruinas de los Templarios.

La medianoche tocaba a su punto. La luna, que se había ido remontando lentamente, estaba ya en lo más alto del cielo, cuando al entrar en una oscura alameda que conducía desde el derruido claustro a la margen del Duero, Manrique exhaló un grito leve, ahogado, mezcla extraña de sorpresa, de temor y de júbilo.

En el fondo de la sombría alameda había visto agitarse una cosa blanca que flotó un momento y desapareció en la oscuridad. La orla del traje de una mujer, de una mujer que había cruzado el sendero y se ocultaba entre el follaje, en el mismo instante en que el loco soñador de quimeras o imposibles penetraba en los jardines.

—¡Una mujer desconocida!... ¡En este sitio!... ¡A estas horas! Ésa, ésa es la mujer que busco —exclamó Manrique; y se lanzó en su seguimiento, rápido como una saeta.

III

Llegó al punto en que había visto perderse, entre la espesura de las ramas, a la mujer misteriosa. Había desaparecido. ¿Por dónde? Allá lejos, creyó divisar por entre los cruzados troncos de los árboles como una claridad o una forma blanca que se movía.

—¿Es ella, es ella, que lleva alas en los pies y huye como una sombra? —dijo, y se precipitó en su busca, separando con las manos las redes de hiedra que se extendían como un tapiz de unos en otros álamos. Llegó rompiendo por entre la maleza y las plantas parásitas hasta una especie de rellano que iluminaba la claridad del cielo... ¡Nadie!—. ¡Ah, por aquí, por aquí va! —exclamó entonces—. Oigo sus pisadas sobre las hojas secas, y el crujido de su traje, que arrastra por el suelo y roza en los arbustos —y corría, y corría como un loco de aquí para allá, y no la veía—. Pero siguen sonando sus pisadas —murmuró otra vez—, creo que ha hablado; no hay duda, ha hablado... El viento, que suspira entre las ramas; las hojas, que parece que rezan en voz baja, me han impedido oír lo que ha dicho; pero no hay duda: va por ahí, ha hablado..., ha hablado... ¿En qué idioma? No sé; pero es una lengua extranjera...

Y tornó a correr en su seguimiento, unas veces creyendo verla, otras pensando oírla; ya notando que las ramas por entre las cuales había desaparecido se movían, ya imaginando distinguir en la arena la huella de sus breves pies; luego, firmemente persuadido de que un perfume especial que aspiraba a intervalos era un aroma perteneciente a aquella mujer que se burlaba de él, complaciéndose en huirlo por entre aquellas intrincadas malezas. ¡Afán inútil!

Vagó algunas horas de un lado a otro, fuera de sí, ya parándose para escuchar, ya deslizándose con las mayores precauciones sobre la yerba, ya en una carrera frenética y desesperada.

Avanzando, avanzando por entre los inmensos jardines que bordeaban la margen del río, llegó al fin al pie de las rocas sobre que se eleva la ermita de San Saturio.

—Tal vez desde esta altura podré orientarme para seguir mis pesquisas a través de ese confuso laberinto —exclamó, trepando de peña en peña con la ayuda de su daga.

Llegó a la cima, desde la que se descubre la ciudad en lontananza y una gran parte del Duero, que se retuerce a sus pies, arrastrando una corriente impetuosa y oscura, por entre las corvas márgenes que lo encarcelan.

Manrique, una vez en lo alto de las rocas, tendió la vista a su alrededor; pero al tenderla y fijarla al cabo en un punto, no pudo contener una blasfemia.

La luz de la luna rielaba chispeando en la estela que dejaba en pos de sí una barca que se dirigía a todo remo a la orilla opuesta.

En aquella barca había creído distinguir una forma blanca y esbelta, una mujer, sin duda la mujer que había visto en los Templarios, la mujer de sus sueños, la realización de sus más locas esperanzas. Se descolgó de las peñas con la agilidad de un gamo, arrojó al suelo la gorra, cuya redonda y larga pluma podía embarazarle para correr, y desnudándose del ancho capotillo de terciopelo partió como una exhalación hacia el puente.

Pensaba atravesarlo y llegar a la ciudad antes que la barca tocase en la orilla. ¡Locura! Cuando Manrique llegó jadeante y cubierto de sudor a la entrada, ya los que habían atravesado el Duero por la parte de San Saturio entraban en Soria por una de las puertas del muro, que en aquel tiempo llegaba a la margen del río, en cuyas aguas se retrataban sus pardas almenas.

IV

Aunque desvanecida su esperanza de alcanzar a los que habían entrado por el postigo de San Saturio, no por eso nuestro héroe perdió la de saber la casa que en la ciudad podía albergarlos. Fija en su mente esta idea, penetró en la población y, dirigiéndose hacia el barrio de San Juan, comenzó a vagar por sus calles a la ventura.

Las calles de Soria eran entonces, y lo son todavía, estrechas, oscuras y tortuosas. Un silencio profundo reinaba en ellas, silencio que sólo interrumpían, ora el lejano ladrido de un perro, ora el rumor de una puerta al cerrarse, ora el relincho de un corcel que piafando hacía sonar la cadena que le sujetaba al pesebre en las subterráneas caballerizas.

Manrique, con el oído atento a estos rumores de la noche, que unas veces le parecían los pasos de alguna persona que había doblado ya la última esquina de un callejón desierto; otras, voces confusas de gentes que hablaban a sus espaldas y que a cada momento esperaba ver a su lado, anduvo algunas horas corriendo al azar de un sitio a otro.

Por último, se detuvo al pie de un caserón de piedra, oscuro y antiquísimo, y al detenerse brillaron sus ojos con una indescriptible expresión de alegría. En una de las altas ventanas ojivales de aquel que pudiéramos llamar palacio, se veía un rayo de luz templada y suave que, pasando a través de unas ligeras colgaduras de seda color de rosa, se reflejaban en el negruzco y agrietado paredón de la casa de enfrente.

—No cabe duda; aquí vive mi desconocida —murmuró el joven en voz baja y sin apartar un punto sus ojos de la ventana gótica—; aquí vive... Ella entró por el postigo de San

Saturio... Por el postigo de San Saturio se viene a este barrio... En este barrio hay una casa donde pasada la medianoche, aún hay gente en vela... ¿En vela? ¿Quién sino ella, que vuelve de sus nocturnas excursiones, puede estarlo a estas horas?... No hay más; ésta es su casa.

En esta firme persuasión, y revolviendo en su cabeza las más locas y fantásticas imaginaciones, esperó el alba frente a la ventana gótica de la que en toda la noche no faltó la luz ni él separó la vista un momento.

Cuando llegó el día, las macizas puertas del arco que daba entrada al caserón, y sobre cuya clave se veían esculpidos los blasones de su dueño, giraron pesadamente sobre sus goznes, con un chirrido prolongado y agudo. Un escudero apareció en el umbral con un manojo de llaves en la mano, restregándose los ojos y enseñando al bostezar una caja de dientes capaces de dar envidia a un cocodrilo.

Verle Manrique y lanzarse a la puerta, todo fue obra de un instante.

—¿Quién habita en esta casa? ¿Cómo se llama ella? ¿De dónde es? ¿A qué ha venido a Soria? ¿Tiene esposo? Responde, responde, animal.

Ésta fue la salutación que, sacudiéndole el brazo violentamente, dirigió al pobre escudero, el cual, después de mirarle un buen espacio de tiempo con ojos espantados y estúpidos, le contestó con voz entrecortada por la sorpresa:

—En esta casa vive el muy honrado señor don Alonso de Valdecuellos, montero mayor de nuestro señor el rey que, herido en la guerra contra moros, se encuentra en esta ciudad reponiéndose de sus fatigas.

—Pero ¿y su hija? —interrumpió el joven impaciente—. ¿Y su hija, o su hermana, o su esposa, o lo que sea?

—No tiene ninguna mujer consigo.

—¡No tiene ninguna!... Pues ¿quién duerme allí en aquel aposento, donde toda la noche he visto arder una luz?

—¿Allí? Allí duerme mi señor don Alonso que, como se halla enfermo, mantiene encendida su lámpara hasta que amanece.

Un rayo cayendo de improviso a sus pies no le hubiera causado más asombro que el que le causaron estas palabras.

V

—«Yo la he de encontrar, la he de encontrar, y si la encuentro, estoy casi seguro de que he de conocerla... ¿En qué? Eso es lo que no podré decir..., pero he de conocerla. El eco de su pisada o una sola palabra suya que vuelva a oír, un extremo de su traje, un solo extremo que vuelva a ver, me bastarán para conseguirlo. Noche y día estoy mirando flotar delante de mis ojos aquellos pliegues de una tela diáfana y blanquí-

sima; noche y día me están sonando aquí dentro, dentro de la
cabeza, el crujido de su traje, el confuso rumor de sus ininteli-
gibles palabras... ¿Qué dijo?... ¿Qué dijo?... ¡Ah!, si yo pudiera
saber lo que dijo, acaso...; pero aun sin saberlo la encontraré...,
la encontraré; me lo da el corazón, y mi corazón no me enga-
ña nunca. Verdad es que ya he recorrido inútilmente todas las
calles de Soria; que he pasado noches y noches al sereno, he-
cho poste de una esquina; que he gastado más de veinte do-
blas de oro en hacer charlar a dueñas y escuderos; que he
dado agua bendita en San Nicolás a una vieja arrebujada
con tal arte en su manto de anascote que se me figuró una
deidad; y al salir de la Colegiata una noche de maitines, he
seguido como un tonto la litera del arcediano, creyendo que
el extremo de sus hopalandas era el traje de mi desconocida;
pero no importa...; yo la he de encontrar y la gloria de po-
seerla excederá seguramente al trabajo de buscarla.

»¿Cómo serán sus ojos?... Deben de ser azules, azules y
húmedos como el cielo de la noche; me gustan tanto los ojos de
ese color...; son tan expresivos, tan melancólicos, tan... Sí...,
no hay duda; azules deben de ser, azules son, seguramente;
y sus cabellos, negros, muy negros y largos para que floten...
Me parece que los vi flotar aquella noche, al par que su traje,
y eran negros...; no me engaño, no: eran negros.

»¡Y qué bien hacen unos ojos azules muy rasgados y ador-
midos, y una cabellera suelta, flotante y oscura, a una mujer
alta...; porque ella es alta, alta y esbelta como esos ángeles
de las portadas de nuestras basílicas, cuyos ovalados rostros
envuelven en un misterioso crepúsculo las sombras de sus
doseles de granito!

»¡Su voz!... su voz la he oído...; su voz es suave como el
rumor del viento en las hojas de los álamos, y su andar, acom-
pasado y majestuoso como las cadencias de una música.

»Y esa mujer, que es hermosa como el más hermoso de mis
sueños de adolescente, que piensa como yo pienso, que gusta
de lo que yo gusto, que odia lo que yo odio, que es un espíritu
hermano de mi espíritu, que es el complemento de mi ser, ¿no
se ha de sentir conmovida al encontrarme? ¿No me ha de
amar como yo la amaré, como la amo ya, con todas las fuer-
zas de mi vida, con todas las facultades de mi alma?

»Vamos, vamos al sitio donde la vi la primera y única vez
que la he visto... ¿Quién sabe si, caprichosa como yo, amiga
de la soledad y del misterio, como todas las almas soñadoras,
se complace en vagar por entre las ruinas en el silencio de la
noche?»

*

Dos meses habían transcurrido desde que el escudero de don
Alonso de Valdecuellos desengañó al iluso Manrique; dos me-

ses, durante los cuales en cada hora había formado un castillo
en el aire, que la realidad desvanecía con un soplo; dos me-
ses, durante los cuales había buscado en vano a aquella mu-
jer desconocida, cuyo absurdo amor iba creciendo en su alma,
merced a sus aún más absurdas imaginaciones, cuando des-
pués de atravesar absorto en estas ideas el puente que con-
duce a los Templarios, el enamorado joven se perdió entre las
intrincadas sendas de sus jardines.

VI

La noche estaba serena y hermosa; la luna brillaba en toda
su plenitud en lo más alto del cielo, y el viento suspiraba con
un rumor dulcísimo entre las hojas de los árboles.

Manrique llegó al claustro, tendió la vista por su recinto, y
miró a través de las macizas columnas de sus arcadas... Es-
taba desierto.

Salió de él, encaminó sus pasos hacia la oscura alameda
que conduce al Duero, y aún no había penetrado en ella cuan-
do de sus labios se escapó un grito de júbilo.

Había visto flotar un instante y desaparecer el extremo del
traje blanco, del traje blanco de la mujer de sus sueños, de
la mujer que ya amaba como un loco.

Corre, corre en su busca; llega al sitio en que la ha visto
desaparecer; pero al llegar se detiene, fija los espantados ojos
en el suelo, permanece un rato inmóvil; un ligero temblor ner-
vioso agita sus miembros, un temblor que va creciendo, que va
creciendo y ofrece los síntomas de una verdadera convulsión,
y prorrumpe al fin en una carcajada, en una carcajada sono-
ra, estridente, horrible.

Aquella cosa blanca, ligera, flotante, había vuelto a brillar
ante sus ojos; pero había brillado a sus pies un instante, no
más que un instante.

Era un rayo de luna, un rayo de luna que penetraba a in-
tervalos por entre la bóveda de los árboles cuando el viento
movía sus ramas.

VII

Habían pasado algunos años. Manrique, sentado en un si-
tial junto a la chimenea gótica de su castillo, inmóvil casi y
con una mirada vaga e inquieta como la de un idiota, apenas
prestaba atención ni a las caricias de su madre, ni a los con-
suelos de sus servidores.

—Tú eres joven, tú eres hermoso —le decía aquélla—. ¿Por
qué te consumes en la soledad? ¿Por qué no buscas una mujer
a quien ames, y que amándote pueda hacerte feliz?

—¡El amor!... El amor es un rayo de luna —murmuraba el joven.

—¿Por qué no despertáis de ese letargo? —le decía uno de los escuderos—. Os vestís de hierro de pies a cabeza; mandáis desplegar al aire vuestro pendón de ricohombre, y marchamos a la guerra. En la guerra se encuentra la gloria.

—¡La gloria!... La gloria es un rayo de luna.

—¿Queréis que os diga una cantiga, la última que ha compuesto mosén Arnaldo, el trovador provenzal?

—¡No! ¡No! —exclamó el joven, incorporándose colérico en su sitial—. No quiero nada...; es decir, sí quiero...: quiero que me dejéis solo.. Cantigas..., mujeres..., gloria..., felicidad...; mentira todo, fantasmas vanos que formamos en nuestra imaginación y vestimos a nuestro antojo, y los amamos y corremos tras ellos, ¿para qué?, ¿para qué? Para encontrar un rayo de luna.

Manrique estaba loco; por lo menos, todo el mundo lo creía así. A mí, por el contrario, se me figuraba que lo que había hecho era recuperar el juicio.

TRES FECHAS

En una cartera de dibujo que conservo aún llena de ligeros apuntes, hechos durante algunas de mis excursiones semiartísticas a la ciudad de Toledo, hay escritas tres fechas.

Los sucesos de que guardan la memoria estos números son, hasta cierto punto, insignificantes. Sin embargo, con su recuerdo me he entretenido en formar algunas noches de insomnio una novela más o menos sentimental o sombría, según que mi imaginación se hallaba más o menos exaltada y propensa a ideas risueñas o terribles.

Si a la mañana siguiente de uno de estos nocturnos y extravagantes delirios hubiera podido escribir los extraños episodios de las historias imposibles que forjo antes que se cierren del todo mis párpados (esas historias, cuyo vago desenlace flota, por último, indeciso en ese punto que separa la vigilia del sueño), seguramente formaría un libro disparatado, pero original y acaso interesante.

No es eso lo que pretendo hacer ahora. Esas fantasías ligeras y, por decirlo así, impalpables, son en cierto modo como las mariposas, que no pueden cogerse en las manos sin que se quede entre los dedos el polvo de oro de sus alas.

Voy, pues, a limitarme a narrar brevemente los tres sucesos que suelen servir de epígrafe a los capítulos de mis soñadas novelas; los tres puntos aislados que yo suelo reunir en mi mente por medio de una serie de ideas como con un hilo de luz; los tres temas, en fin, sobre que yo hago mil y mil variaciones, en las que pudiéramos llamar absurdas sinfonías de la imaginación.

I

Hay en Toledo una calle estrecha, torcida y oscura, que guarda tan fielmente la huella de las cien generaciones que en ella han habitado, que habla con tanta elocuencia a los ojos del artista y le revela tantos secretos puntos de afinidad entre las ideas y las costumbres de cada siglo, con la forma y el

carácter especial impreso en sus obras más insignificantes, que yo cerraría sus entradas con una barrera, y pondría sobre la barrera un tarjetón con este letrero:

«En nombre de los poetas y de los artistas, en nombre de los que sueñan y de los que estudian, se prohíbe a la civilización que toque a uno solo de estos ladrillos con su mano demoledora y prosaica.»

Da entrada a esta calle por uno de los extremos un arco macizo, achatado y oscuro, que sostiene un pasadizo cubierto, acción de los años, en el cual crece la hiedra, que, agitada con el aire, flota sobre el casco de la corona como un penacho de plumas.

Debajo de la bóveda y enclavado en el muro, se ve un retablo con su lienzo ennegrecido e imposible de descifrar, su marco dorado y churrigueresco, su farolillo pendiente de un cordel y sus exvotos de cera.

Más allá de este arco, que baña con su sombra aquel lugar, dándole un tinte de misterio y tristeza indescriptible, se prolongan a ambos lados dos hileras de casas oscuras, desiguales y extrañas, cada cual de su forma, sus dimensiones y su color. Unas están construidas de piedras toscas y desiguales, sin más adornos que algunos blasones groseramente esculpidos sobre la portada; otras son de ladrillo, y tienen un arco árabe que les sirve de ingreso, dos o tres ajimeces abiertos a capricho en un paredón agrietado y un mirador que termina en una alta veleta. Las hay con traza que no pertenece a ningún orden de arquitectura, y que tienen, sin embargo, un remiendo de todos; que son un modelo acabado de un género especial desconocido, o una muestra curiosa de las extravagancias de un período de arte. Éstas tienen un balcón de madera con un cobertizo disparatado; aquéllas una ventana gótica recientemente enlucida y con algunos tiestos de flores; la de más allá unos pintorreados azulejos en el marco de la puerta, clavos enormes en los tableros y dos fustes de columnas, tal vez procedentes de un alcázar morisco, empotrados en el muro.

El palacio de un magnate convertido en corral de vecindad; la casa de un alfaquí habitada por un canónigo; una sinagoga judía transformada en oratorio cristiano; un convento levantado sobre las ruinas de una mezquita árabe, de la que aún queda en pie la torre; mil extraños y pintorescos contrastes, mil y mil curiosas muestras de distintas razas, civilizaciones y épocas, compendiadas, por decirlo así, en cien varas de terreno.

He aquí todo lo que se encuentra en esta calle, calle construida en muchos siglos, calle estrecha, deforme, oscura y con infinidad de revueltas, donde cada cual, al levantar su habitación, tomaba una saliente, dejaba un rincón o hacía un ángulo con arreglo a su gusto, sin consultar el nivel, la altura ni la regularidad; calle rica en no calculadas combinaciones de

líneas, con un verdadero lujo de detalles caprichosos, con tantos y tantos accidentes, que cada vez ofrece alguno nuevo al que la estudia.

Cuando por primera vez fui a Toledo, mientras me ocupé en sacar algunos apuntes de San Juan de los Reyes, tenía precisión de atravesarla todas las tardes para dirigirme al convento desde la posada con honores de fonda en que me había hospedado.

Casi siempre la atravesaba de un extremo a otro, sin encontrar en ella una sola persona, sin que turbase su profundo silencio otro ruido que el ruido de mis pasos, sin que detrás de las celosías de un balcón, del cancel de una puerta o la rejilla de una ventana viese, ni aun por casualidad, el arrugado rostro de una vieja curiosa o los ojos negros y rasgados de una muchacha toledana. Algunas veces me parecía cruzar por en medio de una ciudad desierta, abandonada por sus habitantes desde una época remota.

Una tarde, sin embargo, al pasar frente a un caserón antiquísimo y oscuro, en cuyos altos paredones se veían tres o cuatro ventanas desiguales, repartidas sin orden ni concierto, me fijé casualmente en una de ellas. La formaba un gran arco ojival rodeado de un festón de hojas picadas y agudas. El arco estaba cerrado por un ligero tabique, recientemente construido y blanco como la nieve, en medio del cual se veía, como contenida en la primera, una pequeña ventana con un marco y sus hierros verdes, una maceta de campanillas azules, cuyos tallos subían a enredarse por entre las labores de granito, y unas vidrieras con sus cristales emplomados y su cortinilla de una tela blanca, ligera y transparente.

Ya la ventana de por sí era digna de llamar la atención por su carácter; pero lo que más poderosamente contribuyó a que me fijase en ella fue el notar que cuando volví la cabeza para mirarla, las cortinillas se habían levantado en un momento para volver a caer, ocultando a mis ojos la persona que, sin duda, me miraba en aquel instante.

Seguí mi camino preocupado con la idea de la ventana, o mejor dicho, de la cortinilla, o más claro todavía, de la mujer que la había levantado; porque indudablemente, a aquella ventana tan poética, tan blanca, tan verde, tan llena de flores, sólo una mujer podía asomarse, y cuando digo una mujer, entiéndase que se supone joven y bonita.

Pasé otra tarde; pasé con el mismo cuidado; apreté los tacones, aturdiendo la silenciosa calle con el ruido de mis pasos, que repetían, respondiéndose, dos o tres ecos; miré a la ventana, y la cortina se volvió a levantar.

La verdad es que realmente detrás de ella no vi nada; pero con la imaginación me pareció descubrir un bulto: el bulto de una mujer, en efecto.

Aquel día me distraje dos o tres veces dibujando. Y pasé otros días, y siempre que pasaba, la cortinilla se levantaba de nuevo, permaneciendo así hasta que se perdía el ruido de mis pasos, y yo, desde lejos, volvía a ella por última vez los ojos.

Mis dibujos adelantaban poca cosa. En aquel claustro de San Juan de los Reyes; en aquel claustro tan misterioso y bañado en triste melancolía, sentado sobre el roto capitel de una columna, la cartera sobre las rodillas, el codo sobre la cartera y la frente entre las manos, al rumor del agua que corre allí con un murmullo incesante, al ruido de las hojas del agreste y abandonado jardín, que agitaba la brisa del crepúsculo, ¡cuánto no soñaría yo con aquella ventana y aquella mujer! ¡Qué historias imposibles no forjaría en mi mente! Ya la conocía. Ya sabía cómo se llamaba y hasta cuál era el color de sus ojos.

La miraba cruzar por los extensos y solitarios patios de la antiquísima casa, alegrándolos con su presencia como un rayo de sol que dora unas ruinas. Otras veces me parecía verla en un jardín con unas tapias muy altas y muy oscuras, con unos árboles muy corpulentos y añosos, que debía de haber allá en el fondo de aquella especie de palacio gótico donde vivía; coger flores y sentarse sola en un banco de piedra, y allí suspirar mientras las deshojaba pensando en..., ¿quién sabe?... Acaso en mí. ¿Qué digo acaso? En mí seguramente. ¡Oh! ¡Cuántos sueños, cuántas locuras, cuánta poesía despertó en mi alma aquella ventana mientras permanecí en Toledo!...

Pero transcurrió el tiempo que había de permanecer en la ciudad. Un día, pesaroso y cabizbajo, guardé todos mis papeles en la cartera; me despedí del mundo de las quimeras y tomé un asiento en el coche para Madrid.

Antes de que se hubiera perdido en el horizonte la más alta de las torres de Toledo, saqué la cabeza por la portezuela para verla otra vez, y me acordé de la calle.

Tenía aún la cartera bajo mi brazo, y al volverme a mi asiento, mientras doblábamos la colina se ocultó de repente la ciudad a mis ojos, saqué el lápiz y apunté una fecha. Es la primera de las tres, a la que yo llamo la *fecha de la ventana*.

II

Al cabo de algunos meses volví a encontrar la ocasión de marcharme de la corte por tres o cuatro días. Limpié el polvo de mi cartera de dibujo, me la puse bajo el brazo, y provisto de una mano de papel, media docena de lápices y unos cuantos napoleones, deplorando que aún no estuviese concluida la línea férrea, me encajoné en un vehículo para recorrer en

sentido inverso los puntos en que tenía lugar la célebre comedia de Tirso *Desde Toledo a Madrid*.

Ya instalado en la histórica ciudad me dediqué a visitar de nuevo los sitios que me llamaron la atención en mi primer viaje y algunos otros que aún no conocía sino de nombre.

Así dejé transcurrir, en largos y solitarios paseos entre sus barrios más antiguos, la mayor parte del tiempo de que podía disponer para mi pequeña expedición artística, encontrando un verdadero placer en perderme en aquel confuso laberinto de callejones sin salida, calles estrechas, pasadizos oscuros y cuestas empinadas e impracticables.

Una tarde, la última que por entonces debía permanecer en Toledo, después de una de estas largas excursiones a través de lo desconocido, no sabré decir siquiera por qué calles llegué a una plaza grande, desierta, olvidada, al parecer, aun de los mismos moradores de la población y como escondida en uno de sus más apartados rincones.

La basura y los escombros arrojados en ella de tiempo inmemorial se habían identificado, por decirlo así, con el terreno de tal modo, que éste ofrecía el aspecto quebrado y montuoso de una Suiza en miniatura. En las lomas y barrancos formados por sus ondulaciones, crecían a su sabor malvas de unas proporciones colosales, cerros de gigantescas ortigas, matas rastreras de campanillas blancas, prados de esa yerba sin nombre, menuda, fina y de un verde oscuro, y meciéndose suavemente al leve soplo del aire, descollando como reyes entre todas las otras plantas parásitas, los poéticos al par que vulgares jaramagos, la verdadera flor de los yermos y las ruinas.

Diseminados por el suelo, medio enterrados unos, casi ocultos por las altas yerbas los otros, veíanse allí una infinidad de fragmentos de mil y mil cosas distintas, rotas y arrojadas en diferentes épocas a aquel lugar, donde iban formando capas en las cuales hubiera sido fácil seguir un curso de geología histórica.

Azulejos moriscos esmaltados en colores, trozos de columnas de mármol y de jaspe, pedazos de ladrillos de cien clases diversas, grandes sillares cubiertos de verdín y de musgo, astillas de madera ya casi hechas polvo, restos de antiguos artesonados, jirones de tela, tiras de cuero y otros cien y cien objetos sin forma ni nombre eran los que aparecían a primera vista a la superficie, llamando asimismo la atención y deslumbrando los ojos una miríada de chispas de luz derramadas sobre la verdura como un puñado de diamantes arrojados a granel y que, examinados de cerca, no eran otra cosa que pequeños fragmentos de vidrio, de pucheros, platos y vasijas que, refractando los rayos del sol, fingían todo un cielo de estrellas microscópicas y deslumbrantes.

Tal era el pavimento de aquella plaza, empedrada a trechos con pequeñas piedrecillas de varios matices formando labores, a trechos cubierta de grandes losas de pizarra, y en su mayor parte, según dejamos dicho, semejante a un jardín de plantas parásitas, o a un prado yermo e inculto.

Los edificios, que dibujaban su forma irregular, no eran tampoco menos extraños y dignos de estudio.

Por un lado la cerraba una hilera de casucas oscuras y pequeñas, con sus tejados dentellados de chimeneas, veletas y cobertizos, sus guardacantones de mármol sujetos a las esquinas con una anilla de hierro, sus balcones achatados o estrechos, sus ventanillas con tiestos de flores, y su farol rodeado de una red de alambre, que defiende sus ahumados vidrios de las pedradas de los muchachos.

Otro frente lo constituía un paredón negruzco, lleno de grietas y hendiduras, en donde algunos reptiles asomaban su cabeza, de ojos pequeños y brillantes, por entre las hojas de musgo. Un paredón altísimo, formado de gruesos sillares, sembrado de huecos de puertas y balcones, tapiados con piedra y argamasa, y a uno de cuyos extremos se unía, formando ángulo con él, una tapia de ladrillos, desconchada y llena de mechinales, manchada a trechos de tintas rojas, verdes o amarillentas, y coronada de un bardal de heno seco, entre el cual corrían algunos tallos de enredaderas.

Esto no era más, por decirlo así, que los bastidores de la extraña decoración que, al penetrar en la plaza, se presentó de improviso a mis ojos cautivando mi ánimo y suspendiéndome durante algún tiempo, pues el verdadero punto culminante del panorama, el edificio que le daba el tono general, se veía alzarse en el fondo de la plaza, más caprichoso, más original, infinitamente más bello, en su artístico desorden, que todos los que se levantaban a su alrededor.

—¡He aquí lo que yo deseaba encontrar! —exclamé al verlo.

Y sentándome en un pedrusco, colocando la cartera sobre mis rodillas y afilando un lápiz de madera, me apercibí a trazar, aunque ligeramente, sus formas irregulares y estrambóticas para conservar por siempre su recuerdo.

Si yo pudiera pegar aquí con obleas el ligerísimo y mal trazado apunte que conservo de aquel sitio, imperfecto y todo como es, me ahorraría un cúmulo de palabras, dando a mis lectores una idea más aproximada de él que todas las descripciones imaginables.

Ya que no puede ser así, trataré de pintarlo del mejor modo posible, a fin de que, leyendo estos renglones, puedan formarse una idea remota, si no de sus infinitos detalles, al menos de la totalidad de su conjunto.

Figuraos un palacio árabe, con sus puertas en forma de herradura; sus muros engalanados con largas hileras de arcos que se cruzan cien y cien veces entre sí, y corren sobre

una franja de azulejos brillantes: aquí se ve el hueco de un ajimez partido en dos por un grupo de esbeltas columnas y encuadrado en un marco de labores menudas y caprichosas: allá se eleva una atalaya con su mirador ligero y airoso, su cubierta de tejas vidriadas, verdes y amarillas, su aguda flecha de oro que se pierde en el vacío; más lejos se divisa la cúpula que cubre un gabinete pintado de oro y azul, o las altas galerías cerradas con persianas verdes que, al descorrerse, dejan ver los jardines con calles de arrayán, bosques de laureles y surtidores altísimos. Todo es original, todo armónico, aunque desordenado; todo deja entrever el lujo y las maravillas de su interior; todo deja adivinar el carácter y las costumbres de sus habitadores.

El opulento árabe que poseía este edificio lo abandona al fin. La acción de los años comienza a desmoronar sus paredes, a deslustrar los colores y a corroer hasta los mármoles. Un monarca castellano escoge entonces para su residencia aquel alcázar que se derrumba, y en este punto rompe un lienzo y abre un arco ojival y lo adorna con una cenefa de escudos, por entre los cuales se enrosca una guirnalda de hojas de cardo y de trébol; en aquél levanta un macizo torreón de sillería con sus saeteras estrechas y sus almenas puntiagudas; y en el de más allá construye un ala de habitaciones altas y sombrías, en las cuales se ven por una parte trozos de alicatados relucientes, por otra, artesones oscurecidos, o un ajimez solo, o un arco de herradura ligero y puro que da entrada a un salón gótico, severo e imponente.

Pero llega el día en que el monarca abandona también aquel recinto, cediéndolo a una comunidad de religiosas, y éstas a su vez fabrican de nuevo, añadiendo otros rasgos a la extraña fisonomía del alcázar morisco. Cierran las ventanas con celosías; entre dos arcos árabes colocan el escudo de su religión esculpido en piedra berroqueña; donde antes crecían tamarindos y laureles, plantan cipreses melancólicos y oscuros; aprovechando unos restos y levantando sobre otros, forman las combinaciones más pintorescas y extravagantes que pueden concebirse.

Sobre la portada de la iglesia, en donde se ven como envueltos en el crepúsculo misterioso en que nos bañan las sombras de sus doseles, una andanada de santos, ángeles y vírgenes, a cuyos pies se retuercen, entre las hojas de acanto, sierpes, vestiglos y endriagos de piedra, se mira elevarse un alminar esbelto y afiligranado con labores moriscas; junto a las saeteras del murallón, cuyas almenas están ya rotas, ponen un retablo, y tapian los grandes huecos con tabiques cuajados de pequeños agujeritos y semejantes a un tablero de ajedrez; colocan cruces sobre todos los picos, y fabrican, por último, un campanario de espadaña con sus campanas, que tañen melancólicamente noche y día llamando a la oración.

campanas que voltean al impulso de una mano invisible, campanas cuyos sonidos lejanos arrancan a veces lágrimas de involuntaria tristeza.

Después pasan los años, y bañan con una veladura de un medio color oscuro todo el edificio, armonizan sus tintas y hacen brotar la hiedra en sus hendiduras.

Las cigüeñas cuelgan su nido en la veleta de la torre; los vencejos, en el alar de los tejados; las golondrinas, en los doseles de granito, y el búho y la lechuza escogen para su guarida los altos mechinales, desde donde en las noches tenebrosas asustan a las viejas crédulas y a los atemorizados chiquillos con el resplandor fosfórico de sus ojos redondos y sus silbos extraños y agudos.

Todas estas revoluciones, todas estas circunstancias especiales, hubieran podido únicamente dar por resultado un edificio tan original, tan lleno de contrastes, de poesía y de recuerdos, como el que aquella tarde se ofreció a mi vista y hoy he ensayado, aunque en vano, describir con palabras.

Ya lo había trazado en parte en una de las hojas de mi cartera. El sol doraba apenas las más altas agujas de la ciudad; la brisa del crepúsculo comenzaba a acariciar mi frente, cuando, absorto en las ideas que de improviso me habían asaltado al contemplar aquellos silenciosos restos de otras edades, más poéticas que la material en que vivimos y nos ahogamos en pura prosa, dejé caer de mis manos el lápiz y abandoné el dibujo, recostándome en la pared que tenía a mis espaldas y entregándome por completo a los sueños de la imaginación. ¿Qué pensaba? No sé si sabré decirlo. Veía claramente sucederse las épocas, y derrumbarse unos muros y levantarse otros. Veía a unos hombres, o mejor dicho, veía a unas mujeres dejar lugar a otras mujeres, y las primeras y las que venían después, convertirse en polvo y volar deshechas, llevando un soplo del viento la hermosura, hermosura que arrancara suspiros secretos, que engendró pasiones y fue manantial de placeres. Luego... ¡qué sé yo!... Todo confuso, veía muchas cosas revueltas, y tocadores de encajes y de estuco con nubes de aroma y lechos de flores; celdas estrechas y sombrías con un reclinatorio y un crucifijo; al pie del crucifijo un libro abierto, y sobre el libro una calavera; salones severos y grandiosos, cubiertos de tapices y adornados con trofeos de guerra, y muchas mujeres que cruzaban y volvían a cruzar ante mis ojos: monjas altas, pálidas y delgadas; odaliscas morenas con labios muy encarnados y ojos muy negros; damas de perfil puro, de continente altivo y andar majestuoso.

Todas estas cosas veía yo, y muchas más de esas que después de pensadas no pueden recordarse; de esas tan inmateriales que es imposible encerrar en el círculo estrecho de la palabra, cuando de pronto di un salto sobre mi asiento, y pasándome la mano por los ojos para convencerme de que no

seguía soñando, incorporándome como movido de un resorte
nervioso, fijé la mirada en uno de los altos miradores del
convento.

Había visto, no me puede caber duda, la había visto perfec-
tamente, una mano blanquísima, que saliendo por uno de los
huecos de aquellos miradores de argamasa, semejantes a ta-
bleros de ajedrez, se había agitado varias veces como salu-
dándome con un signo mudo y cariñoso. Y me saludaba a mí;
no era posible que me equivocase... Estaba solo, completa-
mente solo en la plaza.

En balde esperé la noche, clavado en aquel sitio y sin apar-
tar un punto los ojos del mirador. Inútilmente volví muchas
veces a ocupar la oscura piedra que me sirvió de asiento la
tarde en que vi aparecer aquella mano misteriosa, objeto ya
de mis sueños de la noche y de mis delirios del día. No la vol-
ví a ver más...

Y llegó al fin la hora en que debía marcharme de Toledo
dejando allí, como una carga inútil y ridícula todas las ilusio-
nes que en su seno se habían levantado en mi mente. Torné a
guardar los papeles en mi cartera con un suspiro; pero antes
de guardarlos escribí otra fecha, la segunda, la que yo conoz-
co por la *fecha de la mano*. Al escribirla miré un momento
la anterior, la de la ventana, y no pude menos de sonreírme
de mi locura.

III

Desde que tuvo lugar la extraña aventura que he referido,
hasta que volví a Toledo, transcurrió cerca de un año, duran-
te el cual no dejó de presentárseme a la imaginación su re-
cuerdo; al principio, a todas horas y con todos sus detalles;
después, con menos frecuencia, y por último, con tanta va-
guedad, que yo mismo llegué a creer algunas veces que había
sido juguete de una ilusión o de un sueño.

No obstante, apenas llegué a la ciudad que con tanta razón
llaman algunos la Roma española, me asaltó nuevamente, y
llena de él la memoria, salí preocupado a recorrer las calles,
sin camino cierto, sin intención preconcebida de dirigirme a
ningún punto fijo.

El día estaba triste, con esa tristeza que alcanza a todo
lo que se oye, se ve y se siente. El cielo era de color plomo,
y a su reflejo melancólico los edificios parecían más antiguos,
más extraños y más oscuros. El aire gemía a lo largo de las
revueltas y angostas calles, trayendo en sus ráfagas, como
notas perdidas de una sinfonía misteriosa, ya palabras inin-
teligibles, clamor de campanas o ecos de golpes profundos y
lejanos. La atmósfera húmeda y fría helaba el rostro a su
contacto, y hasta diríase que helaba el alma con un soplo
glacial.

Anduve durante algunas horas por los barrios más apartados y desiertos, absorto en mil confusas imaginaciones y, contra mi costumbre, con la mirada vaga y perdida en el espacio, sin que lograse llamar mi atención ni un detalle caprichoso de arquitectura, ni un monumento de orden desconocido, ni una obra de arte maravillosa y oculta. Ninguna cosa, en fin, de aquellas en cuyo examen minucioso me detenía a cada paso cuando sólo ocupaban mi mente ideas de arte y recuerdos históricos.

El cielo cerraba cada vez más oscuro. El aire soplaba con más fuerza y más ruido; había comenzado a caer en gotas menudas una lluvia de nieve deshecha, finísima y penetrante, cuando sin saber por dónde, pues ignoraba aún el camino, y como llevado allí por un impulso al que no podía resistirme, impulso que me arrastraba misteriosamente al punto a que iban mis pensamientos, me encontré en la solitaria plaza que ya conocen mis lectores.

Al encontrarme en aquel lugar salí de la especie de letargo en que me hallaba sumido, como si me hubiesen despertado de un sueño profundo con una violenta sacudida.

Tendí una mirada a mi alrededor. Todo estaba como yo lo dejé. Digo mal: estaba más triste. Ignoro si la oscuridad del cielo, la falta de verdura o el estado de mi espíritu eran la causa de esta tristeza; pero la verdad es que desde el sentimiento que experimenté al contemplar aquellos lugares por la vez primera, hasta el que me impresionó entonces, había toda la distancia que existe desde la melancolía a la amargura.

Contemplé por algunos instantes el sombrío convento, en aquella ocasión más sombrío que nunca a mis ojos; y ya me disponía a alejarme, cuando hirió mis oídos el son de una campana, una campana de voz cascada y sorda, que tocaba pausadamente, mientras la acompañaba, formando contraste con ella, una especie de esquiloncillo que comenzó a voltear de pronto con una rapidez y un tañido tan agudo y continuado, que parecía como acometido de un vértigo.

Nada más extraño que aquel edificio, cuya negra silueta se dibujaba sobre el cielo como la de una roca erizada de mil y mil picos caprichosos, hablando con sus lenguas de bronce por medio de las campanas, que parecían agitarse al impulso de seres invisibles, una como llorando con sollozos ahogados, la otra como riendo con carcajadas estridentes, semejantes a la risa de una mujer loca.

A intervalos y confundidas con el atolondrador ruido de las campanas, creía percibir también notas confusas de un órgano y palabras de un cántico religioso y solemne.

Varié de idea; y en vez de alejarme de aquel lugar, llegué a la puerta del templo y pregunté a uno de los haraposos mendigos que había sentados en sus escalones de piedra:

—¿Qué hay aquí?

—Una toma de hábito —me contestó el pobre, interrumpiendo la oración que murmuraba entre dientes, para continuarla después, aunque no sin haber besado antes la moneda de cobre que puse en su mano al dirigirle mi pregunta.

Jamás había presenciado esta ceremonia; nunca había visto tampoco el interior de la iglesia del convento. Ambas consideraciones me impulsaron a penetrar en su recinto.

La iglesia era alta y oscura, formaban sus naves dos filas de pilares compuestos de columnas delgadas reunidas en un haz, que descansaban en una base ancha y octógona y de cuya rica coronación de capiteles partían los arranques de las robustas ojivas. El altar mayor estaba colocado en el fondo, bajo una cúpula de estilo Renacimiento cuajada de angelones con escudos, grifos cuyos remates fingían profusas hojarascas, cornisas con molduras y florones dorados y dibujos caprichosos y elegantes. En torno a las naves se veía una multitud de capillas oscuras, en el fondo de las cuales ardían algunas lámparas, semejantes a estrellas perdidas en el cielo de una noche oscura. Capillas de arquitectura árabe, gótica o churrigueresca: unas, cerradas con magníficas verjas de hierro; otras, con humildes barandales de madera; éstas, sumidas en las tinieblas, con una antigua tumba de mármol delante del altar; aquéllas, profusamente alumbradas, con una imagen vestida de relumbrones y rodeada de exvotos de plata y cera con lacitos de cintas de colorines.

Contribuía a dar un carácter más misterioso a toda la iglesia, completamente armónica en su confusión y su desorden artístico con el resto del convento, la fantástica claridad que la iluminaba. De las lámparas de plata y cobre, pendientes de las bóvedas; de las velas de los altares y de las estrechas ojivas y los ajimeces del muro, partían rayos de luz de mil colores diversos: blancos, los que penetraban de la calle por algunas pequeñas claraboyas de la cúpula; rojos, los que se desprendían de los cirios de los retablos; verdes, azules y de otros cien matices diferentes, los que se abrían paso a través de los pintados vidrios de las rosetas. Todos estos reflejos, insuficientes a inundar con la bastante claridad aquel sagrado recinto, parecía como que luchaban confundiéndose entre sí en algunos puntos, mientras que otros los hacían destacar con una mancha luminosa y brillante sobre los fondos velados y oscuros de las capillas.

A pesar de la fiesta religiosa que allí tenía lugar, los fieles reunidos eran pocos. La ceremonia había comenzado hacía bastante tiempo y estaba a punto de concluir. Los sacerdotes que oficiaban en el altar mayor bajaban en aquel momento sus gradas cubiertas de alfombra, envueltos en una nube de incienso azulado que se mecía lentamente en el aire, para dirigirse al coro, en donde se oía a las religiosas entonar un salmo.

Yo también me encaminé hacia aquel sitio con el objeto de asomarme a las dobles rejas que lo separaban del templo. No sé, me pareció que había de conocer en la cara a la mujer de quien sólo había visto un instante la mano, y abriendo desmesuradamente los ojos y dilatando la pupila, como queriendo prestarle mayor fuerza y lucidez, la clavé en el fondo del coro. Afán inútil: a través de los cruzados hierros, muy poco o nada podía verse. Como unos fantasmas blancos y negros que se movían entre las tinieblas, contra las que luchaba en vano el escaso resplandor de algunos cirios encendidos; una prolongada fila de sitiales altos y puntiagudos, coronados de doseles, bajo los que se adivinaban, veladas por la oscuridad, las confusas formas de las religiosas, vestidas de luengas ropas talares; un crucifijo alumbrado por cuatro velas, que se destacaba sobre el sombrío fondo del cuadro, como esos puntos de luz que en los lienzos de Rembrandt hacen más palpables las sombras: he aquí cuanto pude descubrir desde el lugar que ocupaba.

Los sacerdotes, cubiertos con sus capas pluviales bordadas de oro, precedidos de unos acólitos que conducían una cruz de plata y dos ciriales, y seguidos de otros que agitaban los incensarios, perfumando el ambiente, atravesando por en medio de los fieles, que besaban sus manos y las orlas de las vestiduras, llegaron al fin a la reja del coro.

Hasta aquel momento no pude distinguir, entre las otras sombras confusas, cuál era la de la virgen que iba a consagrarse al Señor.

¿No habéis visto nunca en esos últimos instantes del crepúsculo de la noche levantarse de las aguas de un río, del haz de un pantano, de las olas del mar o de la profunda sima de una montaña, un jirón de niebla que flota lentamente en el vacío y, alternativamente, ya parece una mujer que se mueve y anda y que vuela su traje al andar, ya un velo blanco prendido a la cabellera de alguna sílfide invisible, ya un fantasma que se eleva en el aire cubriendo sus huesos amarillos con su sudario, sobre el que se cree ver dibujadas sus formas angulosas? Pues una alucinación de ese género experimenté yo al mirar adelantarse hacia la reja, como desasiéndose del fondo tenebroso del coro, aquella figura blanca, alta y ligerísima.

El rostro no se lo podía ver. Vino a colocarse perfectamente delante de las velas que alumbraban el crucifijo, y su resplandor, formado como un nimbo de luz alrededor de su cabeza, la hacía resaltar por oscuro bañándola en una dudosa sombra.

Reinó un profundo silencio; todos los ojos se fijaron en ella, y comenzó la última parte de la ceremonia.

La abadesa, murmurando algunas palabras ininteligibles, palabras que a su vez repetían los sacerdotes con voz sorda y profunda, le arrancó de las sienes la corona de flores que

las ceñía y la arrojó lejos de sí... ¡Pobres flores! Eran las
últimas que había de ponerse aquella mujer, hermana de las
flores, como todas las mujeres.

Después la despojó del velo, y su rubia cabellera se derramó
como una cascada de oro sobre sus espaldas y sus hombros,
que sólo pudo cubrir un instante, porque en seguida se comen-
zó a percibir, en mitad del profundo silencio que reinaba en-
tre los fieles, un chirrido metálico y agudo que crispaba los
nervios, y la magnífica cabellera se desprendió de la frente que
sombreaba, y rodaron por su seno y cayeron al suelo después
aquellos rizos que el aire perfumado habría besado tantas
veces...

La abadesa tornó a murmurar las ininteligibles palabras;
los sacerdotes las repitieron, y todo quedó de nuevo en silen-
cio en la iglesia. Sólo de cuando en cuando se oían a lo lejos
como unos quejidos largos y temerosos. Era el viento que zum-
baba estrellándose en los ángulos de las almenas y los torreo-
nes, y estremecía, al pasar, los vidrios de color de las ojivas.

Ella estaba inmóvil y pálida, como una virgen de piedra
arrancada del nicho de un claustro gótico.

Y le despojaron de las joyas que le cubrían los brazos y la
garganta, y la desnudaron, por último, de su traje nupcial,
aquel traje que parecía hecho para que un amante rompiera
sus broches con mano trémula de emoción y cariño.

El Esposo místico aguardaba a la esposa. ¿Dónde? Más allá
de la muerte; abriendo sin duda la losa del sepulcro y llamán-
dola a traspasarlo como traspasa la esposa tímida el umbral
del santuario de los amores nupciales, porque ella cayó al
suelo desplomada como un cadáver. Las religiosas arrojaron
sobre su cuerpo, como si fuera tierra, puñados de flores en-
tonando una salmodia tristísima: se alzó un murmullo entre
la multitud, y los sacerdotes, con sus voces profundas y hue-
cas, comenzaron el oficio de difuntos, acompañado de esos ins-
trumentos que parece que lloran, aumentando el hondo temor
que inspiran de por sí las terribles palabras que pronuncian.

—De profundis clamavi ad te! —decían las religiosas des-
de el fondo del coro con voces plañideras y dolientes.

—Dies irae dies illa! —les contestaron los sacerdotes con
eco tronador y profundo, y en tanto las campanas tañían len-
tamente tocando a muerto, y de campanada en campanada
se oía vibrar el bronce con un zumbido extraño y lúgubre.

Yo estaba conmovido; no, conmovido no; aterrado. Creía
presenciar una cosa sobrenatural, sentir como que me arran-
caban algo preciso para mi vida, y que a mi alrededor se for-
maba el vacío; pensaba que acababa de perder algo, como un
padre, una madre o una mujer querida y sentía ese inmenso
desconsuelo que deja la muerte por donde pasa, desconsuelo
sin nombre, que no se puede pintar, y que sólo pueden conce-
bir los que lo han sentido.

Aún estaba clavado en aquel lugar con los ojos extraviados, tembloroso y fuera de mí, cuando la nueva religiosa se incorporó del suelo. La abadesa la vistió el hábito, las monjas tomaron en sus manos velas encendidas y, formando dos largas hileras la condujeron como en procesión hacia el fondo del coro.

Allí, entre las sombras, vi brillar un rayo de luz; era la puerta claustral, que se había abierto. Al poner el pie en su umbral la religiosa se volvió por la última vez hacia el altar. El resplandor de todas las luces la iluminó de pronto, y pude verle el rostro. Al mirarlo tuve que ahogar un grito. Yo conocía a aquella mujer; no la había visto nunca, pero la conocía de haberla contemplado en sueños; era uno de esos seres que adivina el alma o los recuerda acaso de otro mundo mejor, del que, al descender a éste, algunos no pierden del todo la memoria.

Di dos pasos adelante; quise llamarla, quise gritar; no sé; me acometió como un vértigo; pero en aquel instante la puerta claustral se cerró... para siempre. Se agitaron las campanillas, los sacerdotes alzaron un *Hosanna!*, y subieron por el aire nubes de incienso, el órgano arrojó un torrente de atronadora armonía por sus cien bocas de metal con una furia espantosa.

Aquella alegría loca y ruidosa me erizaba los cabellos. Volví los ojos a mi alrededor buscando a los padres, a la familia, huérfanos de aquella mujer. No encontré a nadie.

—Tal vez era sola en el mundo —dije; y no pude contener una lágrima.

—¡Dios te dé en el claustro la felicidad que no te ha dado en el mundo! —exclamó al mismo tiempo una vieja que estaba a mi lado y sollozaba y gemía agarrada a la reja.

—¿La conoce usted? —le pregunté.

—¡Pobrecita! Sí, la conocía. Y la he visto nacer y se ha criado en mis brazos.

—Y ¿por qué profesa?

—Porque se vio sola en el mundo. Su padre y su madre murieron en el mismo día, del cólera, hace poco más de un año. Al verla huérfana y desvalida, el señor deán le dio el dote para que profesase; y ya veis... ¿Qué había de hacer?

—Y ¿quién era ella?

—Hija del administrador del conde C***, al cual serví yo hasta su muerte.

—¿Dónde vivía?

Cuando oí el nombre de la calle, no pude contener una exclamación de sorpresa.

Un hilo de luz, ese hilo de luz que se extiende rápido como la idea y brilla en la oscuridad y la confusión de la mente, y reúne los puntos más distantes y los relaciona entre sí de un

modo maravilloso, ató mis vagos recuerdos, y todo lo comprendí o creí comprenderlo.

Esta fecha, que no tiene nombre, no la escribí en ninguna parte. Digo mal: la llevo escrita en un sitio en que nadie más que yo la puede leer, y de donde no se borrará nunca.

Algunas veces, recordando estos sucesos, hoy mismo al considerarlos aquí, me he preguntado:

«Algún día, en esa hora misteriosa del crepúsculo, cuando el suspiro de la brisa de primavera, tibio y cargado de aromas, penetra hasta el fondo de los más apartados retiros, llevando allí como una ráfaga de recuerdos del mundo, sola, perdida en la penumbra de un claustro gótico, la mano en la mejilla, el codo apoyado en el alféizar de una ojiva, ¿habrá exhalado un suspiro alguna mujer al cruzar su imaginación la memoria de estas fechas?

»¡Quién sabe!

»¡Oh! Y si ha suspirado, ¿dónde estará ese suspiro?»

LA ROSA DE PASIÓN

Una tarde de verano, y en un jardín de Toledo, me refirió esta singular historia una muchacha muy buena y muy bonita.

Mientras me explicaba el misterio de su forma especial, besaba las hojas y los pistilos que iba arrancando uno a uno de la flor que da su nombre a esta leyenda.

Si yo la pudiera referir con el suave encanto y la tierna sencillez que tenía en su boca, os conmovería, como a mí me conmovió, la historia de la infeliz Sara.

Ya que esto no es posible, ahí va lo que de esta tradición se me acuerda en este instante.

I

En una de las callejas más oscuras y tortuosas de la ciudad imperial, empotrada y casi escondida entre la alta torre morisca de una antigua parroquia mozárabe y los sombríos y blasonados muros de una casa solariega tenía, hace muchos años, su habitación raquítica, tenebrosa y miserable como su dueño, un judío llamado Daniel Leví.

Era este judío rencoroso y vengativo, como todos los de su raza, pero más que ninguno, engañador e hipócrita.

Dueño, según los rumores del vulgo, de una inmensa fortuna, veíasele, no obstante, todo el día acurrucado en el sombrío portal de su vivienda componiendo y aderezando cadenillas de metal, cintos viejos y guarniciones rotas, con las que traía un gran tráfico entre los truhanes de Zocodover, las revendedoras del Postigo y los escuderos pobres.

Aborrecedor implacable de los cristianos y de cuanto a ellos pudiera pertenecer, jamás pasó junto a un caballero principal o un canónigo de la Primada sin quitarse una y hasta diez veces el mugriento bonetillo que cubría su cabeza, calva y amarillenta, ni acogió en su tenducho a uno de sus habituales parroquianos sin agobiarlo a fuerza de humildes salutaciones acompañadas de aduladoras sonrisas.

La sonrisa de Daniel había llegado a hacerse proverbial en toda Toledo, y su mansedumbre, a prueba de las jugarretas más pesadas y las burlas y rechiflas de sus vecinos, no conocía límites.

Inútilmente los muchachos, para desesperarlo tiraban piedras a su tugurio; en vano las pajecillos, y hasta los hombres de armas del próximo palacio, pretendían aburrirlo con los nombres injuriosos, o las viejas devotas de la feligresía se santiguaban al pasar por el umbral de su puerta, como si viesen al mismo Lucifer en persona. Daniel sonreía eternamente, con una sonrisa extraña e indescriptible. Sus labios, delgados y hundidos, se dilataban a la sombra de su nariz, desmesurada y curva como el pico de un aguilucho; y aunque de sus ojos, pequeños, verdes, redondos y casi ocultos entre las espesas cejas, brotaba una chispa de mal reprimida cólera, seguía impasible golpeando con su martillito de hierro el yunque donde aderezaba las mil baratijas mohosas y, al parecer, sin aplicación alguna, de que se componía su tráfico.

Sobre la puerta de la casucha del judío y dentro de su marco de azulejos de vivos colores se abría un ajimez árabe resto de las antiguas construcciones de los moros toledanos. Alrededor de las caladas franjas del ajimez, y enredándose por la columnilla de mármol que lo partía en dos huecos iguales, subía desde el interior de la vivienda una de esas plantas trepadoras que se mecen verdes y llenas de savia y lozanía sobre los ennegrecidos muros de los edificios ruinosos.

En la parte de la casa, que recibía una dudosa luz por los estrechos vanos de aquel ajimez único abierto en el musgoso y agrietado paredón de la calleja, habitaba Sara, la hija predilecta de Daniel.

Cuando los vecinos del barrio pasaban por delante de la tienda del judío y veían por casualidad a Sara tras las celosías de su ajimez morisco, y a Daniel acurrucado junto a su yunque, exclamaban en alta voz, admirados de las perfecciones de la hebrea:

—¡Parece mentira que tan ruin tronco haya dado de sí tan hermoso vástago!

Porque, en efecto, Sara era un prodigio de belleza. Tenía los ojos grandes y rodeados de un sombrío cerco de pestañas negras, en cuyo fondo brillaba el punto de luz de su ardiente pupila como una estrella en el cielo de una noche oscura. Sus labios, encendidos y rojos, parecían recortados hábilmente de un paño de púrpura por las invisibles manos de un hada. Su tez era blanca, pálida y transparente como el alabastro de la estatua de un sepulcro. Contaba apenas dieciséis años y se veía grabada en su rostro esa dulce tristeza de las inteligencias precoces, y ya hinchaban su seno y se escapaban de su boca esos suspiros que anuncian el vago despertar del deseo.

Los judíos más poderosos de la ciudad, prendados de su maravillosa hermosura la habían solicitado para esposa; pero la hebrea, insensible a los homenajes de sus adoradores y a los consejos de su padre, que la instaba para que eligiese un compañero antes de quedar sola en el mundo, se mantenía encerrada en un profundo silencio, sin dar más razón de su extraña conducta que el capricho de permanecer libre.

Al fin, un día, cansado de sufrir los desdenes de Sara, y sospechando que su eterna tristeza era indicio cierto de que su corazón abrigaba algún secreto importante, uno de sus adoradores se acercó a Daniel y le dijo:

—¿Sabes, Daniel, que entre nuestros hermanos se murmura de tu hija?

El judío levantó un instante los ojos de su yunque, suspendió su continuo martilleo y sin mostrar la menor emoción preguntó a su interpelante:

—Y ¿qué dicen de ella?

—Dicen —prosiguió su interlocutor—, dicen... ¡qué sé yo!...; muchas cosas... Entre otras, que tu hija está enamorada de un cristiano.

Al llegar a este punto el desdeñado amante de Sara se detuvo para ver el efecto que sus palabras hacían en Daniel.

Daniel levantó de nuevo sus ojos, le miró un rato fijamente, sin decir palabra, y bajando otra vez la vista para seguir su interrumpida tarea exclamó:

—Y ¿quién dice que eso no sea una calumnia?

—Quien los ha visto conversar más de una vez en esta misma calle mientras tú asistes al oculto sanedrín de nuestros rabinos —insistió el joven hebreo, admirado de que sus sospechas primero y después sus afirmaciones no hiciesen mella en el ánimo de Daniel.

Éste, sin abandonar su ocupación, fija la mirada en el yunque, sobre el que después de dejar a un lado el martillo, se ocupaba en bruñir el broche de metal de una guarnición con una pequeña lima, comenzó a hablar en voz baja y entrecortada, como si maquinalmente fuesen repitiendo sus labios las ideas que cruzaban por su mente:

—¡Je, je, je! —decía, riéndose de una manera extraña y diabólica—. ¿Conque a mi Sara, al orgullo de la tribu, al báculo en que se apoya mi vejez, piensa arrebatármela un perro cristiano? ¿Y vosotros creéis que lo hará? ¡Je, je! —continuaba siempre, hablando para sí y siempre riéndose, mientras la lima chirriaba cada vez con más fuerza, mordiendo el metal con sus dientes de acero—. ¡Je, je! ¡Pobre Daniel!, dirán los míos; ¡ya chochea! ¿Para qué quiere ese viejo moribundo y decrépito esa hija tan hermosa y tan joven, si no sabe guardarla de los codiciosos ojos de nuestros enemigos?... ¡Je, je, je! ¿Crees tú, por ventura, que Daniel duerme? ¿Crees tú, por ventura, que si mi hija tiene un amante...,

que bien puede ser, y ese amante es cristiano y procura sedu-
cirla y la seduce, que todo es posible, y proyecta huir con ella,
que también es fácil, y huye mañana, por ejemplo, lo cual
cabe dentro de lo humano; crees tú que Daniel se dejaría así
arrebatar su tesoro?... ¿Crees tú que no sabrá vengarse?

—Pero —exclamó, interrumpiéndole, el joven—, ¿sabes
acaso?...

—Sé —dijo Daniel, levantándose y dándole un golpecito en
la espalda—, sé más que tú, que nada sabes, ni nada sabrías si
no hubiese llegado la hora de decirlo todo... Adiós; avisa a
nuestros hermanos para que cuanto antes se reúnan. Esta no-
che, dentro de una o dos horas, yo estaré con ellos. ¡Adiós!

Y esto diciendo, Daniel empujó suavemente a su interlocu-
tor hacia la calle, recogió sus trebejos muy despacio y comen-
zó a cerrar con dobles cerrojos y aldabas la puerta de la
tiendecilla.

El ruido que produjo la puerta al encajarse, rechinando so-
bre sus premiosos goznes, impidió al que se alejaba oír el ru-
mor de las celosías del ajimez, que en aquel punto cayeron de
golpe, como si la judía acabara de retirarse de su alféizar.

II

Era noche de Viernes Santo y los habitantes de Toledo, des-
pués de haber asistido a las tinieblas en su magnífica cate-
dral, acababan de entregarse al sueño, o referían al amor de
la lumbre consejas parecidas a la del *Cristo de la Luz* que,
robado por unos judíos, dejó un rastro de sangre por el cual
se descubrió el crimen; o la historia del *Santo Niño de la
Guardia*, en quien los implacables enemigos de nuestra fe re-
novaron la cruel Pasión de Jesús.

Reinaba en la ciudad un silencio profundo, interrumpido
a intervalos, ya por las lejanas voces de los guardias noctur-
nos, que en aquella época velaban en derredor del alcázar, ya
por los gemidos del viento, que hacía girar las veletas de las
torres, o zumbaba entre las torcidas revueltas de las calles,
cuando el dueño de un barquichuelo que se mecía amarrado
a un poste cerca de los molinos que parecen como incrustados
al pie de las rocas que baña el Tajo y sobre las que se asien-
ta la ciudad, vio aproximarse a la orilla, bajando trabajosa-
mente por uno de los estrechos senderos que desde lo alto de
los muros conducen al río, a una persona a quien, al parecer
aguardaban con impaciencia.

—¡Ella es! —murmuró entre dientes el barquero—. ¡No
parece sino que esta noche anda revuelta toda esa endiablada
raza de judíos!... ¿Dónde diantres se tendrán dada cita con
Satanás, que todos acuden a mi barca, teniendo tan cerca el
puente?... No, no irán a nada bueno, cuando así evitan topar-

se de manos a boca con los hombres de armas de San Servando... Pero en fin, ello es que me dan buenos dineros a ganar, y a cada alma su palma, que yo en nada entro ni salgo.

Esto diciendo el buen hombre, sentándose en su barca, aparejó los remos, y cuando Sara, que no era otra la persona a quien al parecer había aguardado hasta entonces, hubo saltado al barquichuelo, soltó la amarra que lo sujetaba y comenzó a bogar en dirección a la orilla opuesta.

—¿Cuántos han pasado esta noche? —preguntó Sara al barquero apenas se hubieron alejado de los molinos, y como refiriéndose a algo que ya habían tratado anteriormente.

—No los he podido contar —respondió el interpelado—; ¡un enjambre!... Parece que esta noche será la última que se reúnen.

—¿Y sabes de qué tratan y con qué objeto abandonan la ciudad a estas horas?

—Lo ignoro...; pero ello es que aguardan a alguien que debe llegar esta noche. Yo no sé para qué le aguardarán, aunque presumo que para nada bueno.

Después de ese breve diálogo, Sara se mantuvo algunos instantes sumida en un profundo silencio y como tratando de coordinar sus ideas. «No hay duda —pensaba entre sí—; mi padre ha sorprendido nuestro amor y prepara alguna venganza horrible. Es preciso que yo sepa a dónde van, qué hacen, qué intentan. Un momento de vacilación podría perderle.»

Cuando Sara se puso un instante en pie, y como para alejar las horribles dudas que la preocupaban, se pasó la mano por la frente, que la angustia había cubierto de un sudor glacial, la barca tocaba a la orilla opuesta.

—Buen hombre —exclamó la hermosa hebrea, arrojando algunas monedas a su conductor y señalando un camino estrecho y tortuoso que subía serpenteando por entre las rocas—, ¿es ése el camino que siguen?

—Ése es, y cuando llegan a la Cabeza del Moro, desaparecen por la izquierda. Después, el diablo y ellos sabrán a dónde se dirigen —respondió el barquero.

Sara se alejó en la dirección que éste le había indicado.

Durante algunos minutos se la vio aparecer y desaparecer alternativamente entre aquel oscuro laberinto de rocas cortadas a pico; después, y cuando hubo llegado a la cima llamada la Cabeza del Moro, su negra silueta se dibujó un instante sobre el fondo azul del cielo, y por último desapareció entre las sombras de la noche.

III

Siguiendo el camino donde hoy se encuentra la pintoresca ermita de la Virgen del Valle, y como a dos tiros de ballesta del picacho que el vulgo conoce en Toledo por la Cabeza del

Moro, existían, aún en aquella época, los ruinosos restos de una iglesia bizantina, anterior a la conquista de los árabes.

En el atrio, que dibujaban algunos pedruscos diseminados por el suelo, crecían zarzales y yerbas parásitas, entre las que yacían medio ocultos, ya el destrozado capitel de una columna, ya un sillar groseramente esculpido con hojas entrelazadas, endriagos horribles o grotescos e informes figuras humanas. Del templo sólo quedaban en pie los muros laterales y algunos arcos rotos y cubiertos de hiedra.

Sara, a quien parecía guiar un sobrenatural presentimiento, al llegar al punto que le había señalado su conductor, vaciló algunos instantes, indecisa acerca del camino que debía seguir; pero por último, se dirigió con paso firme y resuelto hacia las abandonadas ruinas de la iglesia.

En efecto, su instinto no la había engañado. Daniel, que ya no sonreía; Daniel, que no era ya el viejo débil y humilde, sino que, antes bien, despidiendo cólera de sus pequeños y redondos ojos, parecía animado del espíritu de la venganza, rodeado de una multitud, ávida, como él, de saciar su sed de odio en uno de los enemigos de su religión, estaba allí, y parecía multiplicarse dando órdenes a los unos, animando en el trabajo a los otros, disponiendo, en fin, con una horrible solicitud los aprestos necesarios para la consumación de la espantosa obra que había estado meditando días y días mientras golpeaba impasible el yunque en su covacha de Toledo.

Sara, que a favor de la oscuridad había logrado llegar hasta el atrio de la iglesia, tuvo que hacer un esfuerzo supremo para no arrojar un grito de horror al penetrar en su interior con la mirada.

Al rojizo resplandor de una fogata, que proyectaba las sombras de aquel círculo infernal en los muros del templo, había creído ver que algunos hacían esfuerzos por levantar en alto una pesada cruz, mientras otros tejían una corona con las ramas de los zarzales, o aplastaban sobre una piedra las puntas de enormes clavos de hierro. Una idea espantosa cruzó por su mente; recordó que a los de su raza los habían acusado más de una vez de misteriosos crímenes; recordó vagamente la aterradora historia del *Niño Crucificado*, que ella hasta entonces había creído una grosera calumnia, inventada por el vulgo para apostrofar y zaherir a los hebreos.

Pero ya no le cabía duda alguna; allí, delante de sus ojos, estaban aquellos horribles instrumentos de martirio, y los feroces verdugos sólo aguardaban la víctima.

Sara, llena de una santa indignación, rebosando en generosa ira y animada de esa fe inquebrantable en el verdadero Dios que su amante le había revelado, no pudo contenerse a la vista de aquel espectáculo y, rompiendo por entre la maleza que la ocultaba, presentóse de improviso en el umbral del templo.

Al verla aparecer, los judíos arrojaron un grito de sorpresa, y Daniel, dando un paso hacia su hija en ademán amenazante, le preguntó con voz ronca:

—¿Qué haces aquí, desdichada?

—Vengo a arrojar sobre vuestras frentes —dijo Sara con voz firme y resuelta— todo el baldón de vuestra infame obra, y vengo a deciros que en vano esperáis la víctima para el sacrificio, si ya no es que intentáis cebar en mí vuestra sed de sangre, porque el cristiano a quien aguardáis no vendrá, porque yo le he prevenido de vuestras asechanzas.

—¡Sara! —exclamó el judío, rugiendo de cólera—. Sara, eso no es verdad; tú no puedes habernos hecho traición hasta el punto de revelar nuestros misteriosos ritos, y si es verdad que los has revelado, tú no eres mi hija...

—No; ya no lo soy; he encontrado otro Padre, un Padre todo amor para los suyos, un Padre a quien vosotros enclavasteis en una afrentosa cruz, y que murió en ella por redimiros abriéndonos para una eternidad las puertas del Cielo. No: ya no soy vuestra hija, porque soy cristiana y me avergüenzo de mi origen.

Al oír estas palabras pronunciadas con esa enérgica entereza que sólo pone el Cielo en boca de los mártires, Daniel ciego de furor, se arrojó sobre la hermosa hebrea y derribándola en tierra y asiéndola por los cabellos la arrastró como poseído de un espíritu infernal hasta el pie de la cruz, que parecía abrir sus descarnados brazos para recibirla, exclamando al dirigirse a los que lo rodeaban:

—Ahí os la entrego; haced vosotros justicia de esa infame que ha vendido su honra, su religión y a sus hermanos.

IV

Al día siguiente, cuando las campanas de la catedral asordaban los aires tocando a gloria, y los honrados vecinos de Toledo se entretenían en tirar ballestas a los Judas de paja, ni más ni menos que como todavía lo hacen en algunas de nuestras poblaciones, Daniel abrió la puerta de su tenducho, como tenía de costumbre, y con su eterna sonrisa en los labios comenzó a saludar a los que pasaban, sin dejar por eso de golpear en el yunque con su martillo de hierro; pero las celosías del morisco ajimez de Sara no volvieron a abrirse, ni nadie vio más a la hermosa hebrea recostada en su alféizar de azulejos de colores...

Cuentan que, algunos años después, un pastor trajo al arzobispo una flor hasta entonces nunca vista, en la cual se veían figurados todos los atributos del martirio del Salvador

del mundo; flor extraña y misteriosa que había crecido y enredado sus tallos entre los ruinosos muros de la derruida iglesia.

Cavando en aquel lugar y tratando de inquirir el origen de aquella maravilla, añaden que se halló el esqueleto de una mujer, y enterrados con él otros tantos atributos divinos como la flor tenía.

El cadáver, aunque nunca se pudo averiguar de quién era, se conservó por largos años con veneración especial en la ermita de San Pedro el Verde, y la flor, que hoy se ha hecho bastante común, se llama *Rosa de Pasión*.

LA PROMESA

I

Margarita lloraba con el rostro oculto entre las manos; lloraba sin gemir, pero las lágrimas corrían silenciosas a lo largo de sus mejillas, deslizándose por entre sus dedos para caer en la tierra, hacia la que había doblado su frente.

Junto a Margarita estaba Pedro, quien levantaba de cuando en cuando los ojos para mirarla, y viéndola llorar tornaba a bajarlos, guardando a su vez un silencio profundo.

Y todo callaba alrededor y parecía respetar su pena. Los rumores del campo se apagaban; el viento de la tarde dormía, y las sombras comenzaban a envolver los espesos árboles del soto.

Así transcurrieron algunos minutos, durante los cuales se acabó de borrar el rastro de luz que el sol había dejado al morir en el horizonte; la luna comenzó a dibujarse vagamente sobre el fondo violado del cielo del crepúsculo, y unas tras otras fueron apareciendo las mayores estrellas.

Pedro rompió al fin aquel silencio angustioso, exclamando con voz sorda y entrecortada y como si hablase consigo mismo:

—¡Es imposible..., imposible!

Después, acercándose a la desconsolada niña y tomando una de sus manos, prosiguió con acento más cariñoso y suave:

—Margarita; para ti el amor es todo, y tú no ves nada más allá del amor. No obstante, hay algo tan respetable como nuestro cariño; es mi deber. Nuestro señor el conde de Gómara parte mañana de su castillo para reunir su hueste a las del rey don Fernando, que va a sacar a Sevilla del poder de los infieles, y yo debo partir con el conde. Huérfano oscuro, sin nombre y sin familia, a él le debo cuanto soy. Yo le he servido en el ocio de las paces, he dormido bajo su techo, me he calentado en su hogar y he comido el pan a su mesa. Si hoy le abandono, mañana sus hombres de armas, al salir en tropel por las poternas de su castillo, preguntarán maravillados de no verme: «¿Dónde está el escudero favorito del conde de Gó-

mara?» Y mi señor callará con vergüenza, y sus pajes y bufones dirán en son de mofa: «El escudero del conde no es más que un galán de justas, un lidiador de cortesía.»

Al llegar a este punto, Margarita levantó sus ojos, llenos de lágrimas, para fijarlos en los de su amante, y removió los labios como para dirigirle la palabra; pero su voz se ahogó en un sollozo.

Pedro, con acento aún más dulce y persuasivo, prosiguió así:

—No llores, por Dios, Margarita; no llores porque tus lágrimas me hacen daño. Voy a alejarme de ti; mas yo volveré después de haber conseguido un poco de gloria para mi nombre oscuro. El Cielo nos ayudará en la santa empresa. Conquistaremos a Sevilla, y el rey nos dará feudos en las riberas del Guadalquivir a los conquistadores. Entonces volveré en tu busca y nos iremos juntos a habitar en aquel paraíso de los árabes, donde dicen que hasta el cielo es más limpio y más azul que el de Castilla. Volveré, te lo juro, volveré a cumplir la palabra solemne empeñada el día en que puse en tus manos ese anillo, símbolo de una promesa.

—¡Pedro! —exclamó entonces Margarita dominando su emoción y con voz resuelta y firme—. Ve, ve a mantener tu honra —y al pronunciar estas palabras, se arrojó por última vez en los brazos de su amante. Después añadió, con acento más hondo y conmovido—: Ve a mantener tu honra; pero vuelve..., vuelve a traerme la mía.

Pedro besó la frente de Margarita, desató su caballo, que estaba sujeto a uno de los árboles del soto, y se alejó al galope por el fondo de la alameda.

Margarita siguió a Pedro con los ojos hasta que su sombra se confundió entre la niebla de la noche, y cuando ya no pudo distinguirlo, se volvió lentamente al lugar donde la aguardaban sus hermanos.

—Ponte tus vestidos de gala —le dijo uno de ellos al entrar—, que mañana vamos a Gómara con todos los vecinos del pueblo para ver al conde, que se marcha a Andalucía.

—A mí más me entristece que me alegra ver irse a los que acaso no han de volver —respondió Margarita con un suspiro.

—Sin embargo —insistió el otro hermano—, has de venir con nosotros y has de venir compuesta y alegre; así no dirán las gentes murmuradoras que tienes amores en el castillo y que tus amores se van a la guerra.

II

Apenas rayaba en el cielo la primera luz del alba, cuando empezó a oírse por todo el campo de Gómara la aguda trompetería de los soldados del conde, y los campesinos que llegaban en numerosos grupos de los lugares cercanos vieron des-

plegarse al viento el pendón señorial en la torre más alta de la fortaleza.

Unos sentados al borde de los fosos, otros subidos en las copas de los árboles, éstos vagando por la llanura, aquéllos coronando las cumbres de las colinas, los de más allá formando un cordón a lo largo de la calzada, ya haría cerca de una hora que los curiosos esperaban el espectáculo, no sin que algunos comenzaran a impacientarse, cuando volvió a sonar de nuevo el toque de los clarines, rechinaron las cadenas del puente, que cayó con pausa sobre el foso, y se levantaron los rastrillos, mientras se abrían de par en par y gimiendo sobre sus goznes las pesadas puertas del arco que conducía al patio de armas.

La multitud corrió a agolparse en los ribazos del camino para ver más a su sabor las brillantes armaduras y los lujosos arreos del séquito del conde de Gómara, célebre en toda la comarca por su esplendidez y sus riquezas.

Rompieron la marcha los farautes, que deteniéndose de trecho en trecho, pregonaban en alta voz y a son de caja las cédulas del rey llamando a sus feudatarios a la guerra de moros, y requiriendo a las villas y lugares libres para que diesen paso y ayuda a sus huestes.

A los farautes siguieron los heraldos de corte, ufanos con sus casullas de seda, sus escudos bordados de oro y colores, y sus birretes guarnecidos de plumas vistosas.

Después vino el escudero mayor de la casa, armado de punta en blanco, caballero sobre un potro morcillo, llevando en sus manos el pendón de ricohombre con sus motes y sus calderas, y al estribo izquierdo el ejecutor de las justicias del señorío, vestido de negro y rojo.

Precedían al escudero mayor hasta una veintena de aquellos famosos trompeteros de la tierra llana, célebres en las crónicas de nuestros reyes por la increíble fuerza de sus pulmones.

Cuando dejó de herir el viento el agudo clamor de la formidable trompetería, comenzó a oírse un rumor sordo, acompasado y uniforme. Eran los peones de la mesnada, armados de largas picas y provistos de sendas adargas de cuero. Tras éstos no tardaron en aparecer los aparejadores de las máquinas, con sus herramientas y sus torres de palo, las escuadrillas de escaladores y la gente menuda del servicio de las acémilas.

Luego, envueltos en la nube de polvo que levantaba el casco de sus caballos, y lanzando chispas de luz de sus petos de hierro, pasaron los hombres de armas del castillo formados en gruesos pelotones, que semejaban a lo lejos un bosque de lanzas.

Por último, precedido de los timbaleros, que montaban poderosas mulas con gualdrapas y penachos, rodeado de sus pajes, que vestían ricos trajes de seda y oro, y seguido de los escuderos de su casa, apareció el conde.

Al verlo, la multitud levantó un clamor inmenso para saludarlo, y entre el confuso vocerío se ahogó el grito de una mujer, que en aquel momento cayó desmayada y como herida de un rayo en los brazos de algunas personas que acudieron a socorrerla. Era Margarita. Margarita, que había conocido a su misterioso amante en el muy alto y muy temido señor conde de Gómara, de los más nobles y poderosos feudatarios de la corona de Castilla.

III

El ejército de don Fernando, después de salir de Córdoba, había venido por sus jornadas hasta Sevilla, no sin haber luchado antes en Écija, Carmona y Alcalá del Río de Guadaira donde, una vez expugnado el famoso castillo, puso los reales a la vista de la ciudad de los infieles.

El conde de Gómara estaba en la tienda sentado en un escaño de alerce, inmóvil, pálido, terrible, las manos cruzadas sobre la empuñadura del montante y los ojos fijos en el espacio, con esa gravedad del que parece mirar un objeto y, sin embargo, no ve nada de cuanto hay a su alrededor.

A un lado y de pie, le hablaba el más antiguo de los escuderos de su casa, el único que en aquellas horas de negra melancolía hubiera osado interrumpirle sin atraer sobre su cabeza la explosión de su cólera.

—¿Qué tenéis, señor? —le decía—. ¿Qué mal os aqueja y consume? Triste vais al combate, y triste volvéis, aun tornando con la victoria. Cuando todos los guerreros duermen rendidos a la fatiga del día, os oigo suspirar angustiado, y si corro a vuestro lecho, os miro allí luchar con algo invisible que os atormenta. Abrís los ojos, y vuestro terror no se desvanece. ¿Qué pasa, señor? Decídmelo. Si es un secreto, yo sabré guardarlo en el fondo de mi memoria como en un sepulcro.

El conde parecía no oír al escudero; no obstante, después de un largo espacio, y como si las palabras hubiesen tardado todo aquel tiempo en llegar desde sus oídos a su inteligencia, salió poco a poco de su inmovilidad y atrayéndole hacia sí cariñosamente, le dijo con voz grave y reposada:

—He sufrido demasiado en silencio. Creyéndome juguete de una vana fantasía, hasta ahora he callado por vergüenza; pero no, no es ilusión lo que me sucede. Yo debo de hallarme bajo la influencia de una maldición terrible. El Cielo o el infierno deben de querer algo de mí, y lo avisan con hechos sobrenaturales. ¿Te acuerdas del día de nuestro encuentro con los moros de Nebrija en el aljarafe de Triana? Éramos pocos; la pelea fue dura, y yo estuve a punto de perecer. Tú lo viste: en lo más reñido del combate, mi caballo, herido y ciego de furor, se precipitó hacia el grueso de la hueste mora. Yo pugnaba en balde por contenerlo. Las riendas se habían

escapado de mis manos, y el fogoso animal corría llevándome a una muerte segura. Ya los moros, cerrando sus escuadrones, apoyaban en tierra el cuento de sus largas picas para recibirme en ellas. Una nube de saetas silbaba en mis oídos. El caballo estaba a algunos pies de distancia del muro de hierro en que íbamos a estrellarnos, cuando... Créeme; no fue una ilusión; vi una mano que agarrándolo de la brida lo detuvo con una fuerza sobrenatural, y volviéndolo en dirección a las filas de mis soldados, me salvó milagrosamente. En vano pregunté a unos y otros por mi salvador. Nadie lo conocía, nadie le había visto. «Cuando volabais a estrellaros en la muralla de picas —me dijeron— ibais solo, completamente solo. Por eso nos maravillamos al veros tornar, sabiendo que ya el corcel no obedecía al jinete.» Aquella noche entré preocupado en mi tienda. Quería en vano arrancarme de la imaginación el recuerdo de la extraña aventura. Mas al dirigirme al lecho torné a ver la misma mano, una mano hermosa, blanca hasta la palidez, que descorrió las cortinas, desapareciendo después de descorrerlas. Desde entonces, a todas horas, en todas partes, estoy viendo esa mano misteriosa que previene mis deseos y se adelanta a mis acciones. La he visto, al expugnar el castillo de Triana, coger entre sus dedos y partir en el aire una saeta que venía a herirme; la he visto en los banquetes donde procuraba ahogar mi pena entre la confusión y el tumulto, escanciar el vino en mi copa, y siempre se halla delante de mis ojos, y por donde voy me sigue: en la tienda, en el combate, de día, de noche... Ahora mismo, mírala, mírala aquí apoyada suavemente en mis hombros.

Al pronunciar estas últimas palabras, el conde se puso en pie y dio algunos pasos como fuera de sí y embargado de un terror profundo.

El escudero se enjugó una lágrima que corría por sus mejillas. Creyéndolo loco a su señor, no insistió, sin embargo, en contrariar sus ideas, y se limitó a decirle con voz profundamente conmovida:

—Venid..., salgamos un momento de la tienda; acaso la brisa de la tarde refrescará vuestras sienes, calmando ese incomprensible dolor, para el que yo no hallo palabras de consuelo.

IV

El real de los cristianos se extendía por todo el campo del Guadaira, hasta tocar en la margen izquierda del Guadalquivir. Enfrente del real y destacándose sobre el luminoso horizonte, se alzaban los muros de Sevilla, flanqueados de torres almenadas y fuertes. Por encima de la corona de almenas, rebosaba la verdura de los mil jardines de la morisca ciudad, y entre las oscuras manchas del follaje lucían los miradores

blancos como la nieve, los almminares de las mezquitas y la gigantesca atalaya, sobre cuyo aéreo pretil lanzaban chispas de luz, heridas por el sol, las cuatro grandes bolas de oro, que desde el campo de los cristianos parecían cuatro llamas.

La empresa de don Fernando, una de las más heroicas y atrevidas de aquella época, había traído a su alrededor a los más célebres guerreros de los diferentes reinos de la Península, no faltando algunos que de países extraños y distantes vinieran también, llamados por la fama, a unir sus esfuerzos a los del santo rey.

Tendidas a lo largo de la llanura, mirábanse, pues, tiendas de campaña de todas formas y colores, sobre el remate de las cuales ondeaban al viento distintas enseñas con escudos partidos, astros, grifos, leones, cadenas, barras y calderas, y otras cien y cien figuras o símbolos heráldicos que pregonaban el nombre y la calidad de sus dueños. Por entre las calles de aquella improvisada ciudad circulaba en todas direcciones multitud de soldados, que hablando dialectos diversos y vestidos cada cual al uso de su país, y cada cual armado a su guisa, formaban un extraño y pintoresco contraste. Aquí descansaban algunos señores de las fatigas del combate sentados en escaños de alerce a la puerta de sus tiendas y jugando a las tablas, en tanto que sus pajes les escanciaban el vino en copas de metal; allí algunos peones aprovechaban un momento de ocio para aderezar y componer sus armas, rotas en la última refriega; más allá cubrían de saetas un blanco los más expertos ballesteros de la hueste entre las aclamaciones de la multitud, pasmada de su destreza; y el rumor de los tambores, y el clamor de las trompetas, las voces de los mercaderes ambulantes, el golpear del hierro contra el hierro, los cánticos de los juglares que entretenían a sus oyentes con la relación de hazañas portentosas, y los gritos de los faraútes que publicaban las ordenanzas de los maestres de campo, llenando los aires de mil y mil ruidos discordes, prestaban a aquel cuadro de costumbres guerreras una vida y una animación imposibles de pintar con palabras.

El conde de Gómara, acompañado de su fiel escudero, atravesó por entre los animados grupos sin levantar los ojos de la tierra, silencioso, triste, como si ningún objeto hiriese su vista ni llegase a su oído el rumor más leve. Andaba maquinalmente, a la manera de un sonámbulo, cuyo espíritu se agita en el mundo de los sueños, se mueve y marcha sin la conciencia de sus acciones y como arrastrado por una voluntad ajena a la suya.

Próximo a la tienda del rey y en medio de un gran corro de soldados, pajecillos y gente menuda que lo escuchaban con la boca abierta, apresurándose a comprarle algunas de las baratijas que anunciaba a voces y con hiperbólicos encomios, había un extraño personaje, mitad romero, mitad juglar, que

ora recitando una especie de letanía en latín bárbaro, ora
diciendo una bufonada o una chocarrería, mezclaba en su
interminable relación chistes capaces de poner colorado a un
ballestero, con oraciones devotas, historias de amores picares-
cos con leyendas de santos. En las inmensas alforjas que col-
gaban de sus hombros se hallaban revueltos y confundidos
mil objetos diferentes: cintas tocadas en el sepulcro de San-
tiago; cédulas con palabras que él decía ser hebraicas, las
mismas que dijo el rey Salomón cuando fundaba el templo, y
las únicas para libertarse de toda clase de enfermedades con-
tagiosas; bálsamos maravillosos para pegar a hombres par-
tidos por la mitad; evangelios cosidos en bolsitas de brocatel;
secretos para hacerse amar de todas las mujeres; reliquias de
los santos patronos de todos los lugares de España; joyuelas,
cadenillas, cinturones, medallas y otras muchas baratijas de
alquimia, de vidrio y de plomo.

Cuando el conde llegó cerca del grupo que formaban el ro-
mero y sus admiradores, comenzaba éste a templar una espe-
cie de bandolina o guzla árabe con que se acompañaba en la
relación de sus romances. Después que hubo estirado bien las
cuerdas unas tras otras y con mucha calma, mientras su acom-
pañante daba la vuelta al corro sacando los últimos cornados
de la flaca escarcela de los oyentes, el romero empezó a can-
tar con voz gangosa y con un aire monótono y plañidero un
romance que siempre terminaba con el mismo estribillo.

El conde se acercó al grupo y prestó atención. Por una coin-
cidencia, al parecer extraña, el título de aquella historia res-
pondía en un todo a los lúgubres pensamientos que embar-
gaban su ánimo. Según había anunciado el cantor antes de
comenzar, el romance se titulaba el *Romance de la mano
muerta.*

Al oír el escudero tan extraño anuncio, pugnó por arran-
car a su señor de aquel sitio; pero el conde, con los ojos fijos
en el juglar, permaneció inmóvil, escuchando esta cantiga:

I

La niña tiene un amante
que escudero se decía.
El escudero le anuncia
que a la guerra se partía.
«Te vas y acaso no tornes.»
«Tornaré por vida mía.»
Mientras el amante jura,
diz que el viento repetía:
¡*Malhaya quien en promesas
de hombre fía!*

II

El conde, con la mesnada
de su castillo salía.
Ella, que lo ha conocido
con grande aflicción gemía:
«¡Ay de mí, que se va el conde
y se lleva la honra mía!»
Mientras la cuitada llora,
diz que el viento repetía:
*¡Malhaya quien en promesas
de hombre fía!*

III

Su hermano, que estaba allí,
estas palabras oía:
«Nos ha deshonrado», dice.
«Me juró que tornaría.»
«No te encontrará si torna,
donde encontrarte solía.»
Mientras la infelice muere,
diz que el viento repetía:
*¡Malhaya quien en promesas
de hombre fía!*

IV

Muerta la llevan al soto;
la han enterrado en la umbría;
por más tierra que le echaban,
la mano no se cubría;
la mano donde un anillo
que le dio el conde tenía.
De noche, sobre la tumba
diz que el viento repetía:
*¡Malhaya quien en promesas
de hombre fía!*

Apenas el cantor había terminado la última estrofa cuando, rompiendo el muro de curiosos que se apartaban con respeto al reconocerlo, el conde llegó a donde se encontraba el romero, y cogiéndolo con fuerza del brazo, le preguntó en voz baja y convulsa:

—¿De qué tierra eres?

—De tierra de Soria —le respondió éste sin alterarse.

—Y ¿dónde has aprendido este romance? ¿A quién se refiere la historia que cuentas? —volvió a exclamar su interlocutor, cada vez con muestras de emoción más profunda.

—Señor —dijo el romero clavando sus ojos en los del conde con una fijeza imperturbable—, esta canción la repiten de unos en otros los aldeanos del campo de Gómara, y se refiere a una desdichada cruelmente ofendida por un poderoso. Altos juicios de Dios han permitido que al enterrarla, quedase siempre fuera de la sepultura la mano en que su amante le puso un anillo al hacerle una promesa. Vos sabréis quizá a quién toca cumplirla.

V

En un lugarejo miserable y que se encuentra a un lado del camino que conduce a Gómara, he visto no hace mucho el sitio en donde se asegura tuvo lugar la extraña ceremonia del casamiento del conde.

Después que éste, arrodillado sobre la humilde fosa, estrechó con la suya la mano de Margarita y un sacerdote autorizado por el Papa bendijo la lúgubre unión, es fama que cesó el prodigio, y *la mano muerta* se hundió para siempre.

Al pie de unos árboles añosos y corpulentos hay un pedacito de prado que, al llegar la primavera, se cubre espontáneamente de flores. La gente del país dice que allí está enterrada Margarita

EL MONTE DE LAS ÁNIMAS

La noche de Difuntos me despertó, a no sé qué hora, el doble de las campanas. Su tañido monótono y eterno me trajo a las mientes esta tradición que oí hace poco en Soria.

Intenté dormir de nuevo. ¡Imposible! Una vez aguijoneada, la imaginación es un caballo que se desboca, y al que no sirve tirarle de la rienda. Por pasar el rato, me decidí a escribirla como, en efecto, lo hice.

Yo la oí en el mismo lugar en que acaeció, y la he escrito volviendo algunas veces la cabeza con miedo cuando sentía crujir los cristales de mi balcón, estremecidos por el aire frío de la noche.

Sea de ello lo que quiera, *ahí va*, como el caballo de copas.

I

—Atad los perros, haced la señal con las trompas para que se reúnan los cazadores y demos la vuelta a la ciudad. La noche se acerca, es día de Todos los Santos y estamos en el monte de las Ánimas.

—¡Tan pronto!

—A ser otro día no dejara yo de concluir con ese rebaño de lobos que las nieves del Moncayo han arrojado de sus madrigueras; pero hoy es imposible. Dentro de poco sonará la oración en los Templarios, y las ánimas de los difuntos comenzarán a tañer su campana en la capilla del monte.

—¡En esa capilla ruinosa! ¡Bah! ¿Quieres asustarme?

—No, hermosa prima. Tú ignoras cuanto sucede en este país, porque aún no hace un año que has venido a él desde muy lejos. Refrena tu yegua; yo también pondré la mía al paso, y mientras dure el camino te contaré esa historia.

Los pajes se reunieron en alegres y bulliciosos grupos. Los condes de Borges y de Alcudiel montaron en sus magníficos caballos, y todos juntos siguieron a sus hijos Beatriz y Alonso, que precedían a la comitiva a bastante distancia.

Mientras duraba el camino, Alonso narró en estos términos la prometida historia:

—Ese monte que hoy llaman de las Ánimas pertenecía a los Templarios, cuyo convento ves allí, a la margen del río. Los Templarios eran guerreros y religiosos a la vez. Conquistada Soria a los árabes, el rey los hizo venir de lejanas tierras para defender la ciudad por la parte del puente, haciendo en ello notable agravio a sus nobles de Castilla, que así hubieran sabido solos defenderla como solos la conquistaron. Entre los caballeros de la nueva y poderosa Orden y los hidalgos de la ciudad fermentó por algunos años, y estalló al fin, un odio profundo. Los primeros tenían acotado ese monte, donde reservaban caza abundante para satisfacer sus necesidades y contribuir a sus placeres. Los segundos determinaron organizar una gran batida en el coto, a pesar de las severas prohibiciones de los *clérigos con espuelas*, como llamaban a sus enemigos. Cundió la voz del reto, y nada fue parte a detener a unos en su manía de cazar y a los otros en su empeño de estorbarlo. La proyectada expedición se llevó a cabo. No se acordaron de ella las fieras; antes la tendrían presente tantas madres como arrastraron sendos lutos por sus hijos. Aquello no fue una cacería, fue una batalla espantosa: el monte quedó sembrado de cadáveres; los lobos, a quienes se quiso exterminar, tuvieron un sangriento festín. Por último, intervino la autoridad del rey; el monte, maldita ocasión de tantas desgracias, se declaró abandonado y la capilla de los religiosos, situada en el mismo monte, y en cuyo atrio se enterraron juntos amigos y enemigos, comenzó a arruinarse. Desde entonces dicen que, cuando llega la noche de Difuntos, se oye doblar sola la campana de la capilla, y que las ánimas de los muertos, envueltas en jirones de sus sudarios, corren como en una cacería fantástica por entre las breñas y los zarzales. Los ciervos braman espantados, los lobos aúllan, las culebras dan horrorosos silbidos, y al otro día se han visto impresas las huellas de los descarnados pies de los esqueletos. Por eso en Soria le llamamos el monte de las Ánimas, y por eso he querido salir de él antes que cierre la noche.

La relación de Alonso concluyó justamente cuando los dos jóvenes llegaban al extremo del puente que da paso a la ciudad por aquel lado. Allí esperarían al resto de la comitiva, la cual, después de incorporárseles los dos jinetes, se perdió por entre las estrechas y oscuras calles de Soria.

II

Los servidores acababan de levantar los manteles; la alta chimenea gótica del palacio de los condes de Alcudiel despedía un vivo resplandor iluminando algunos grupos de damas

y caballeros que alrededor de la lumbre conversaban familiarmente, y el viento azotaba los emplomados vidrios de las ojivas del salón.

Sólo dos personas parecían ajenas a la conversación general: Beatriz y Alonso. Beatriz seguía con los ojos, y absorta en un vago pensamiento, los caprichos de la llama. Alonso miraba el reflejo de la hoguera chispear en las azules pupilas de Beatriz.

Ambos guardaban hacía rato un profundo silencio.

Las dueñas referían, a propósito de la noche de Difuntos, cuentos temerosos en que los espectros y los aparecidos representaban el principal papel; y las campanas de las iglesias de Soria doblaban a lo lejos con tañido monótono y triste.

—Hermosa prima —exclamó al fin Alonso rompiendo el largo silencio en que se encontraban—, pronto vamos a separarnos, tal vez para siempre; las áridas llanuras de Castilla, sus costumbres toscas y guerreras; sus hábitos sencillos y patriarcales sé que no te gustan; te he oído suspirar varias veces, acaso por algún galán de tu lejano señorío.

Beatriz hizo un gesto de fría indiferencia: todo su carácter de mujer se reveló en aquella desdeñosa contracción de sus delgados labios.

—Tal vez por la pompa de la Corte francesa, donde hasta aquí has vivido —se apresuró a añadir el joven—. De un modo o de otro, presiento que no tardaré en perderte... Al separarnos, quisiera que llevases una memoria mía... ¿Te acuerdas cuando fuimos al templo a dar gracias a Dios por haberte devuelto la salud que viniste a buscar a esta tierra? El joyel que sujetaba la pluma de mi gorra cautivó tu atención. ¡Qué hermoso estaría sujetando un velo sobre tu oscura cabellera! Ya ha prendido el de una desposada: mi padre se lo regaló a la que me dio el ser, y ella lo llevó al altar... ¿Lo quieres?

—No sé en el tuyo —contestó la hermosa—, pero en mi país una prenda recibida compromete la voluntad. Sólo en un día de ceremonia debe aceptarse un presente de manos de un deudo..., que aún puede ir a Roma sin volver con las manos vacías.

El acento helado con que Beatriz pronunció estas palabras turbó un momento al joven, que después de serenarse dijo con tristeza:

—Lo sé, prima; pero hoy se celebran Todos los Santos, y el tuyo entre todos; hoy es día de ceremonias y presentes. ¿Quieres aceptar el mío?

Beatriz se mordió ligeramente los labios, y extendió la mano para tomar la joya, sin añadir palabra.

Los dos jóvenes volvieron a quedarse en silencio, y volvióse a oír la cascada voz de las viejas que hablaban de brujas y de trasgos, y el zumbido del aire que hacía crujir los vidrios de las ojivas, y el triste y monótono doblar de las campanas.

Al cabo de algunos minutos, el interrumpido diálogo tornó a reanudarse de este modo:

—Y antes que concluya el día de Todos los Santos, en que así como el tuyo se celebra el mío, y puedes, sin atar tu voluntad, dejarme un recuerdo, ¿no lo harás? —dijo él, clavando una mirada en la de su prima, que brilló como un relámpago, iluminada por un pensamiento diabólico.

—¿Por qué no? —exclamó ésta, llevándose la mano al hombro derecho como para buscar alguna cosa entre los pliegues de su ancha manga de terciopelo bordado de oro, y después, con una infantil expresión de sentimiento, añadió—: ¿Te acuerdas de la banda azul que llevé hoy a la cacería, y que por no sé qué emblema de su color me dijiste que era la divisa de tu alma?

—Sí.

—Pues... ¡Se ha perdido! Se ha perdido, y pensaba dejártela como recuerdo.

—¡Se ha perdido! Y ¿dónde? —preguntó Alonso, incorporándose de su asiento y con una indescriptible expresión de temor y esperanza.

—No sé... En el monte, acaso.

—¡En el monte de las Ánimas! —murmuró palideciendo y dejándose caer sobre el sitial—, ¡en el monte de las Ánimas! —luego prosiguió, con voz entrecortada y sorda—: Tú lo sabes, porque la habrás oído mil veces: en la ciudad, en toda Castilla, me llaman el rey de los cazadores. No habiendo aún podido probar mis fuerzas en los combates, como mis ascendientes, he llevado a esta diversión, imagen de la guerra, todos los bríos de mi juventud, todo el ardor hereditario en mi raza. La alfombra que pisan tus pies son despojos de fieras que han muerto por mi mano. Yo conozco sus guaridas y sus costumbres; yo he combatido con ellas de día y de noche, a pie y a caballo, solo y en batida, y nadie dirá que me ha visto huir el peligro en ninguna ocasión. Otra noche volaría por esa banda, y volaría gozoso como a una fiesta; y, sin embargo, esta noche..., esta noche, ¿a qué ocultártelo?, tengo miedo. ¿Oyes? Las campanas doblan, la oración ha sonado en San Juan del Duero; las ánimas del monte comenzarán ahora a levantar sus amarillentos cráneos de entre las malezas que cubren sus fosas... ¡Las ánimas!, cuya sola vista puede helar de horror la sangre del más valiente, tornar sus cabellos blancos o arrebatarlo en el torbellino de su fantástica carrera como una hoja que arrastra el viento, sin que se sepa a dónde.

Mientras el joven hablaba, una sonrisa imperceptible se dibujó en los labios de Beatriz, que cuando hubo concluido exclamó, con un tono indiferente y mientras atizaba el fuego del hogar, donde saltaba y crujía la leña arrojando chispas de mil colores:

—¡Oh! Eso de ningún modo. ¡Qué locura! ¡Ir ahora al monte por semejante friolera! ¡Una noche tan oscura, noche de Difuntos, y cuajado el camino de lobos!

Al decir esta última frase, la recalcó de un modo tan especial, que Alonso no pudo menos de comprender toda su amarga ironía; movido por un resorte, se puso de pie, se pasó la mano por la frente, como para arrancarse el miedo que estaba en su cabeza, y no en su corazón, y con voz firme exclamó, dirigiéndose a la hermosa que estaba aún inclinada sobre el hogar entreteniéndose en revolver el fuego:

—¡Adiós, Beatriz, adiós! Hasta... pronto.

—¡Alonso, Alonso! —dijo ésta, volviéndose con rapidez; pero cuando quiso, o aparentó querer, detenerle, el joven había desaparecido.

A los pocos minutos se oyó el rumor de un caballo que se alejaba al galope. La hermosa, con una radiante expresión de orgullo satisfecho, que coloreó sus mejillas, prestó atento oído a aquel rumor, que se debilitaba, que se perdía, que se desvaneció por último.

Las viejas, en tanto, continuaban con sus cuentos de ánimas aparecidas; el aire zumbaba en los vidrios del balcón, y las campanas de la ciudad doblaban a lo lejos.

III

Había pasado una hora, dos, tres; la medianoche estaba a punto de sonar, y Beatriz se retiró a su oratorio. Alonso no volvía, no volvía, cuando en menos de una hora pudiera haberlo hecho.

—¡Habrá tenido miedo! —exclamó la joven cerrando su libro de oraciones y encaminándose a su lecho, después de haber intentado inútilmente murmurar algunos de los rezos que la Iglesia consagra en el día de Difuntos a los que ya no existen.

Después de haber apagado la lámpara y cruzado las dobles cortinas de seda, se durmió; se durmió con un sueño inquieto, nervioso.

Las doce sonaron en el reloj del postigo. Beatriz oyó entre sueños las vibraciones de la campana, lentas, sordas, tristísimas, y entreabrió los ojos. Creía haber oído, a la par de ellas, pronunciar su nombre; pero lejos, muy lejos, y por una voz ahogada y doliente. El viento gemía en los vidrios de la ventana.

—Será el viento —dijo; y poniéndose la mano sobre el corazón procuró tranquilizarse.

Pero su corazón latía cada vez con más violencia. Las puertas de alerce del oratorio habían crujido sobre sus goznes, con un chirrido agudo, prolongado y estridente.

Primero unas y luego las otras más cercanas, todas las puertas que daban paso a su habitación iban sonando por su orden; éstas con un ruido sordo y suave, aquéllas con un lamento largo y crispador. Después, silencio; un silencio lleno de rumores extraños, el silencio de la medianoche, con un murmullo monótono de agua distante, lejanos ladridos de perros, voces confusas, palabras ininteligibles, ecos de pasos que van y vienen, crujir de ropas que se arrastran, suspiros que se ahogan, respiraciones fatigosas que casi no se sienten, estremecimientos involuntarios que anuncian la presencia de algo que no se ve y cuya aproximación se nota, no obstante, en la oscuridad.

Beatriz, inmóvil, temblorosa, adelantó la cabeza fuera de las cortinillas y escuchó un momento. Oía mil ruidos diversos, se pasaba la mano por la frente, tornaba a escuchar; nada, silencio.

Veía, con esa fosforescencia de la pupila en las crisis nerviosas, como bultos que se movían en todas las direcciones; y cuando, dilatándose, la fijaba en un punto, nada: oscuridad, las sombras impenetrables.

—¡Bah! —exclamó, volviendo a recostar su hermosa cabeza sobre la almohada de raso azul del lecho—. ¿Soy yo tan miedosa como esas pobres gentes, cuyo corazón palpita de terror bajo una armadura al oír una conseja de aparecidos?

Y cerrando los ojos intentó dormir...; pero en vano había hecho un esfuerzo sobre sí misma. Pronto volvió a incorporarse, más pálida, más inquieta, más aterrada. Ya no era ilusión; las colgaduras de brocado de la puerta se habían rozado al separarse, y unas pisadas lentas sonaban sobre la alfombra; el rumor de aquellas pisadas era sordo, casi imperceptible, pero continuado, y a su compás se oía crujir una cosa como de madera o de hueso. Y se acercaban, y se movió el reclinatorio que estaba a la orilla de su lecho. Beatriz lanzó un grito agudo, y arrebujándose en la ropa que la cubría, escondió la cabeza y contuvo el aliento.

El aire azotaba los vidrios del balcón; el agua de la fuente lejana caía y caía con un rumor eterno y monótono; los ladridos de los perros se dilataban en las ráfagas de aire, y las campanas de la ciudad de Soria, unas cerca, otras distantes, doblaban tristemente por las ánimas de los difuntos.

Así pasó una hora, dos, la noche, un siglo, porque la noche aquella pareció eterna a Beatriz. Al fin, despuntó la aurora. Vuelta de su temor, entreabrió los ojos a los primeros rayos de luz. Después de una noche de insomnio y de terrores, ¡es tan hermosa la luz clara y blanca del día! Separó las cortinas de seda del lecho, y ya se disponía a reírse de sus temores pasados cuando de repente un sudor frío cubrió su cuerpo, sus ojos se desencajaron y una palidez mortal decoloró sus mejillas· sobre el reclinatorio había visto, sangrienta y desga-

rrada, la banda azul que perdiera en el monte, la banda azul que fue a buscar Alonso.

Cuando sus servidores llegaron despavoridos a notificarle la muerte del primogénito de Alcudiel, que a la mañana había aparecido devorado por los lobos entre las malezas del monte de las Ánimas, la encontraron inmóvil, crispada, asida con ambas manos a una de las columnas de ébano del lecho, desencajados los ojos, entreabierta la boca, blancos los labios, rígidos los miembros, muerta, ¡muerta de horror!

IV

Dicen que después de acaecido este suceso, un cazador extraviado que pasó la noche de Difuntos sin poder salir del monte de las Ánimas, y que al otro día, antes de morir, pudo contar lo que viera, refirió cosas horribles. Entre otras se asegura que vio a los esqueletos de los antiguos Templarios y de los nobles de Soria enterrados en el atrio de la capilla, levantarse al punto de la oración con un estrépito horrible, y caballeros sobre osamentas de corceles, perseguir, como a una fiera, a una mujer hermosa, pálida y desmelenada que, con los pies desnudos y sangrientos, y arrojando gritos de horror, daba vueltas alrededor de la tumba de Alonso.

EL «MISERERE»

Hace algunos meses que, visitando la célebre abadía de Fitero y ocupándome en revolver algunos volúmenes de su abandonada biblioteca, descubrí en uno de sus rincones dos o tres cuadernos de música, bastante antiguos, cubiertos de polvo y hasta comenzados a roer por los ratones.

Era un *Miserere*.

Yo no sé música; pero le tengo tanta afición que, aun sin entenderla, suelo coger a veces la partitura de una ópera y me paso las horas muertas hojeando sus páginas, mirando los grupos de notas más o menos apiñadas, las rayas, los semicírculos, los triángulos y las especies de etcéteras que se llaman claves, y todo sin comprender una jota ni sacar maldito el provecho.

Consecuente con mi manía, repasé los cuadernos, y lo primero que me llamó la atención fue que, aunque en la última página había esta palabra latina, tan vulgar en todas las obras: *finis*, la verdad era que el *Miserere* no estaba terminado, porque la música no alcanzaba sino hasta el décimo versículo.

Eso fue, sin duda, lo que me llamó la atención primeramente; pero luego que me fijé un poco en las hojas de música, me chocó aún el observar que, en vez de las palabras italianas que ponen en todas, como *maestoso, allegro, ritardando, piú vivo, a piacere*, había unos renglones escritos con letra muy menuda y en alemán, de los cuales algunos servían para advertir cosas tan difíciles de hacer como ésta: *Crujen..., crujen los huesos, y de sus medulas ha de parecer que salen los alaridos*; o esta otra: *La cuerda aúlla sin discordar, el metal atruena sin ensordecer; pero eso suena todo, y no se confunde nada, y todo es la Humanidad, que solloza y gime*; o la más original de todas, sin duda, recomendada al pie del último versículo. *Las notas son huesos cubiertos de carne: lumbre inextinguible, los cielos y su armonía..., ¡¡fuerza!..., fuerza y dulzura.*

—¿Sabéis qué es esto? —pregunté a un viejecito que me acompañaba, al acabar de medio traducir estos renglones, que parecían frases escritas por un loco.

El anciano me contó entonces la leyenda que voy a referir.

I

Hace ya muchos años, en una noche lluviosa y oscura, llegó a la puerta claustral de esta abadía un romero y pidió un poco de lumbre para secar sus ropas, un pedazo de pan con que satisfacer su hambre, y un albergue cualquiera donde esperar la mañana y proseguir con la luz del sol su camino.

Su modesta colación, su pobre lecho y su encendido hogar puso el hermano a quien se hizo esta demanda a disposición del caminante, al cual, después que se hubo repuesto de su cansancio, interrogó acerca del objeto de su romería y del punto a donde se encaminaba.

—Yo soy músico —respondió el interpelado—. He nacido muy lejos de aquí, y en mi patria gocé un día de gran renombre. En mi juventud hice de mi arte un arma poderosa de seducción y encendí con él pasiones que me arrastraron a un crimen. En mi vejez quiero convertir al bien las facultades que he empleado para el mal, redimiéndome por donde mismo pude condenarme.

Como las enigmáticas palabras del desconocido no pareciesen del todo claras al hermano lego, en quien ya comenzaba la curiosidad a despertarse e, instigado por ésta, continuara en sus preguntas, su interlocutor prosiguió de este modo:

—Lloraba yo en el fondo de mi alma la culpa que había cometido; mas al intentar pedirle a Dios misericordia, no encontraba palabras para expresar dignamente mi arrepentimiento, cuando un día se fijaron mis ojos por casualidad sobre un libro santo. Abrí aquel libro y en una de sus páginas encontré un gigante grito de contrición verdadera, un salmo de David, el que comienza: *Miserere mei, Deus!* Desde el instante en que hube leído sus estrofas, mi único pensamiento fue hallar una forma musical tan magnífica, tan sublime, que bastase a contener el grandioso himno de dolor del Rey Profeta. Aún no la he encontrado; pero si logro expresar lo que siento en mi corazón, lo que oigo confusamente en mi cabeza, estoy seguro de hacer un *Miserere* tal y tan maravilloso que no hayan oído otro semejante los nacidos; tal y tan desgarrador, que al escuchar el primer acorde los arcángeles dirán conmigo, cubiertos los ojos de lágrimas y dirigiéndose al Señor: *¡Misericordia!,* y el Señor la tendrá de su pobre criatura.

El romero, al llegar a este punto de su narración, calló por un instante y después, exhalando un suspiro, tornó a coger el hilo de su discurso. El hermano lego, algunos dependientes

de la abadía, y otros dos o tres pastores de la granja de los
frailes, que formaban círculo alrededor del hogar, le escucha-
ban en un profundo silencio.

—Después —continuó— de recorrer toda Alemania, toda
Italia y la mayor parte de este país clásico para la música
religiosa, aún no he oído un *Miserere* en que pueda inspirar-
me; ni uno, ni uno; y he oído tantos, que puedo decir que he
oído todos.

—¿Todos? —dijo entonces, interrumpiéndole, uno de los ra-
badanes—. ¿A que no habéis oído aún el *Miserere de la
Montaña?*

—¡El *Miserere de la Montaña!* —exclamó el músico, con
aire de extraño—. ¿Qué *Miserere* es ése?

—¿No dije? —murmuró el campesino; y luego prosiguió,
con una entonación misteriosa—: Ese *Miserere*, que sólo oyen
por casualidad los que, como yo, andan día y noche tras el
ganado por entre breñas y peñascales, es toda una historia,
una historia muy antigua, pero tan verdadera como, al pare-
cer, increíble. Es el caso que en lo más fragoso de esas cordi-
lleras de montañas que limitan el horizonte del valle, en el
fondo del cual se halla la abadía, hubo hace ya muchos años,
¡qué digo muchos años!, muchos siglos, un monasterio famo-
so; monasterio que, a lo que parece, edificó a sus expensas un
señor con los bienes que había de legar a su hijo, al cual des-
heredó al morir, en pena de sus maldades. Hasta aquí todo fue
bueno: pero es el caso que este hijo, que por lo que se verá
más adelante, debió de ser de la piel del diablo, si no era el
mismo diablo en persona, sabedor de que sus bienes estaban
en poder de los religiosos, y de que su castillo se había trans-
formado en iglesia, reunió a unos cuantos bandoleros, cama-
radas suyos en la vida de perdición que emprendiera al aban-
donar la casa de sus padres, y una noche de Jueves Santo,
en que los monjes se hallaban en el coro, y en el punto y hora
en que iban a comenzar o habían comenzado el *Miserere*, pu-
sieron fuego al monasterio, entraron a saco la iglesia, y a éste
quiero, a aquél no, se dice que no dejaron fraile con vida.
Después de esta atrocidad se marcharon los bandidos, y su
instigador con ellos, a donde no se sabe, a los profundos tal
vez. Las llamas redujeron el monasterio a escombros; de la
iglesia aún quedan en pie las ruinas sobre el cóncavo peñón
de donde nace la cascada que, después de estrellarse de peña
en peña, forma el riachuelo que viene a bañar los muros de
esta abadía.

—Pero —interrumpió impaciente el músico—, ¿y el *Mi-
serere?*

—Aguardaos —continuó con gran sorna el rabadán—, que
todo irá por partes.

Dicho lo cual siguió así su historia:

—Las gentes de los contornos se escandalizaron del crimen; de padres a hijos y de hijos a nietos se refirió con horror en las largas noches de velada; pero lo que mantiene más viva su memoria es que todos los años, tal noche como en la que se consumó, se ven brillar luces a través de las rotas ventanas de la iglesia; se oye como una especie de música extraña y unos cantos lúgubres y aterradores, que se perciben a intervalos en las ráfagas del aire. Son los monjes, los cuales, muertos tal vez sin hallarse preparados para presentarse en el Tribunal de Dios limpios de toda culpa, vienen aún al Purgatorio a impetrar su misericordia cantando el *Miserere*.

Los circunstantes se miraron unos a otros con muestras de incredulidad; sólo el romero, que parecía vivamente preocupado con la narración de la historia, preguntó con ansiedad al que la había referido:

—¿Y decís que ese portento se repite aún?

—Dentro de tres horas comenzará sin falta alguna, porque precisamente esta noche es la de Jueves Santo y acaban de dar las ocho en el reloj de la abadía.

—¿A qué distancia se encuentra el monasterio?

—A una legua y media escasa... Pero ¿qué hacéis? ¿Adónde vais con una noche como ésta? ¡Estáis dejado de la mano de Dios! —exclamaron todos, al ver que el romero, levantándose de su escaño y tomando el bordón, abandonaba el hogar para dirigirse a la puerta.

—¿Adónde voy? A oír esa maravillosa música; a oír el grande, el verdadero *Miserere*, el *Miserere* de los que vuelven al mundo después de muertos, y saben lo que es morir en el pecado.

Y esto diciendo, desapareció de la vista del espantado lego y de los no menos atónitos pastores.

El viento zumbaba y hacía crujir las puertas, como si una mano poderosa pugnase por arrancarlas de sus quicios; la lluvia caía en turbiones, azotando los vidrios de las ventanas, y de cuando en cuando la luz de un relámpago iluminaba por un instante todo el horizonte que desde ellas se descubría.

—¡Está loco!

—¡Está loco! —repitieron los pastores, y atizaron de nuevo la lumbre y se agruparon alrededor del hogar.

II

Después de una o dos horas de camino, el misterioso personaje que calificaron de loco en la abadía, remontando la corriente del riachuelo que le indicó el rabadán de la historia, llegó al punto en que se levantaban, negras e imponentes, las ruinas del monasterio.

La lluvia había cesado; las nubes flotaban en oscuras bandas, por entre cuyos jirones se deslizaba a veces un furtivo rayo de luz pálido y dudoso; y el aire, al azotar los fuertes machones y extenderse por los desiertos claustros, diríase que exhalaba gemidos. Sin embargo, nada sobrenatural, nada extraño venía a herir la imaginación. Al que había dormido más de una noche sin otro amparo que las ruinas de una torre abandonada de un castillo solitario; al que había arrostrado en su larga peregrinación cien y cien tormentas, todos aquellos ruidos le eran familiares.

Las gotas de agua que se filtraban por entre las grietas de los rotos arcos y caían sobre las losas con un rumor acompasado, como el de la péndola de un reloj; los gritos del búho, que graznaba refugiado bajo el nimbo de piedra de una imagen, de pie aún en el hueco de un muro; el ruido de los reptiles que, despiertos de su letargo por la tempestad, sacaban sus disformes cabezas de los agujeros donde duermen o se arrastraban por entre los jaramagos y los zarzales que crecían al pie del altar, entre las junturas de las lápidas sepulcrales que formaban el pavimento de la iglesia, todos estos extraños y misteriosos murmullos del campo, de la soledad y de la noche llegaban perceptibles al oído del romero que, sentado sobre la mutilada estatua de una tumba, aguardaba ansioso la hora en que debiera realizarse el prodigio.

Transcurrió tiempo y tiempo, y nada se percibió; aquellos mil confusos rumores seguían sonando y combinándose de mil maneras distintas, pero siempre los mismos.

«¡Si me habrá engañado!», pensó el músico; pero en aquel instante se oyó un ruido nuevo, un ruido inexplicable en aquel lugar, como el que produce un reloj algunos segundos antes de sonar la hora; ruidos de ruedas que giran, de cuerdas que se dilatan, de maquinaria que se agita sordamente y se dispone a usar de su misteriosa vitalidad mecánica; y sonó una campanada..., dos..., tres..., hasta once.

En el derruido templo no había campana ni reloj, ni torre ya siquiera.

Aún no había expirado, debilitándose de eco en eco, la última campanada; todavía se escuchaba su vibración temblando en el aire, cuando los doseles de granito que cobijaban las esculturas, las gradas de mármol de los altares, los sillares de las ojivas, los calados antepechos del coro, los festones de tréboles de las cornisas, los negros machones de los muros, el pavimento, las bóvedas, la iglesia entera comenzó a iluminarse espontáneamente, sin que se viese una antorcha, un cirio o una lámpara que derramase aquella insólita claridad.

Parecía como un esqueleto de cuyos huesos amarillos se desprende ese gas fosfórico que brilla y humea en la oscuridad como una luz azulada, inquieta y medrosa.

Todo pareció animarse, pero con ese movimiento galvánico que imprime a la muerte contracciones que parodian la vida; movimiento instantáneo, más horrible aún que la inercia del cadáver que se agita con su desconocida fuerza. Las piedras se reunieron a las piedras; el ara cuyos rotos fragmentos, se veían antes esparcidos sin orden, se levantó intacta como si acabase de dar en ella su último golpe de cincel el artífice, y al par del ara se levantaron las derribadas capillas, los rotos capiteles y las destrozadas e inmensas series de arcos que, cruzándose y enlazándose caprichosamente entre sí, formaron con sus columnas un laberinto de pórfido.

Una vez reedificado el templo, comenzó a oírse un acorde lejano que pudiera confundirse con el zumbido del aire, pero que era un conjunto de voces lejanas y graves que parecía salir del seno de la tierra e irse elevando poco a poco, haciéndose cada vez más perceptible.

El osado peregrino comenzaba a tener miedo; pero con su miedo luchaba aún su fanatismo por todo lo desusado y maravilloso, y alentado por él dejó la tumba sobre que reposaba, se inclinó al borde del abismo por entre cuyas rocas saltaba el torrente, despeñándose en un trueno incesante y espantoso, y sus cabellos se erizaban de horror.

Mal envueltos en los jirones de sus hábitos, caladas las capuchas, bajo los pliegues de las cuales contrastaban con sus descarnadas mandíbulas y los blancos dientes las oscuras cavidades de los ojos de sus calaveras, vio los esqueletos de los monjes que fueron arrojados desde el pretil de la iglesia a aquel precipicio salir del fondo de las aguas, y agarrándose con los largos dedos de sus manos de hueso a las grietas de las peñas, trepar por ellas hasta tocar el borde, diciendo en voz baja y sepulcral, pero con una desgarradora expresión de dolor, el primer versículo del salmo de David: *Miserere mei, Deus, secundum magnam misericordiam tuam!*

Cuando los monjes llegaron al peristilo del templo, se ordenaron en dos hileras, y penetrando en él fueron a arrodillarse en el coro, donde, con voz más levantada y solemne, prosiguieron entonando los versículos del salmo. La música sonaba al compás de sus voces; aquella música era el rumor distante del trueno que, desvanecida la tempestad, se alejaba murmurando; era el zumbido del aire que gemía en la concavidad del monte; era el monótono ruido de la cascada que caía sobre las rocas, y la gota de agua que se filtraba y el grito del búho escondido, y el roce de los reptiles inquietos. Todo esto era la música, y algo más que no puede explicarse ni apenas concebirse; algo más que parecía como el eco de un órgano que acompañaba los versículos del gigante himno de contrición del Rey Salmista, con notas y acordes tan gigantes como sus palabras terribles.

Siguió la ceremonia; el músico que la presenciaba, absorto y aterrado, creía estar fuera del mundo real, vivir en esa región fantástica del sueño en que todas las cosas se revisten de formas extrañas y fenomenales.

Un sacudimiento terrible vino a sacarlo de aquel estupor que embargaba todas las facultades de su espíritu. Sus nervios saltaron al impulso de una emoción fortísima; sus dientes chocaron, agitándose con un temblor imposible de reprimir, y el frío penetró hasta la medula de sus huesos.

Los monjes pronunciaban en aquel instante estas espantosas palabras del *Miserere*:

—*In iniquitatibus conceptus sum: et in peccatis concepit me mater mea.*

Al resonar este versículo y dilatarse sus ecos retumbando de bóveda en bóveda, se levantó un alarido tremendo, que parecía un grito de dolor arrancado a la Humanidad entera por la conciencia de sus maldades; un grito horroroso, formado de todos los lamentos del infortunio, de todos los aullidos de la desesperación, de todas las blasfemias de la impiedad; concierto monstruoso, digno intérprete de los que viven en el pecado y fueron concebidos en la iniquidad.

Prosiguió el canto, ora tristísimo y profundo, ora semejante a un rayo que rompe la nube oscura de una tempestad, haciendo suceder a un relámpago de terror otro relámpago de júbilo, hasta que, merced a una transformación súbita, la iglesia resplandecía bañada en luz celeste; las osamentas de los monjes se vistieron de sus carnes; una aureola luminosa brilló en derredor de sus frentes; se rompió la cúpula, y a través de ella se vio el cielo como un océano de lumbre abierto a la mirada de los justos.

Los serafines, los arcángeles, los ángeles y todas las jerarquías acompañaban con himno de gloria este versículo, que subía entonces al trono del Señor como una tromba armónica, como una gigantesca espiral de sonoro incienso:

—*Auditui meo dabis gaudium et laetitiam: et exultabunt ossa humiliata.*

En este punto, la claridad deslumbradora cegó los ojos del romero; sus sienes latieron con violencia, zumbaron sus oídos y cayó sin conocimiento por tierra, y no oyó más...

III

Al día siguiente, los pacíficos monjes de la abadía de Fitero, a quienes el hermano lego había dado cuenta de la extraña visita de la noche anterior, vieron entrar por sus puertas, pálido y como fuera de sí, al desconocido romero.

—¿Oísteis al cabo el *Miserere?* —le preguntó con cierta

mezcla de ironía el lego, lanzando a hurtadillas una mirada de inteligencia a sus superiores.

—Sí —respondió el músico.

—¿Y ¿qué tal os ha parecido?

—Lo voy a escribir. Dadme un asilo en vuestra casa —prosiguió, dirigiéndose al abad—, un asilo y pan por algunos meses, y voy a dejaros una obra inmortal del arte, un *Miserere* que borre mis culpas a los ojos de Dios, eternice mi memoria y eternice con ella la de esta abadía.

Los monjes, por curiosidad, aconsejaron al abad que accediera a su demanda; el abad, por compasión, aun creyéndolo un loco, accedió al fin a ella, y el músico, instalado ya en el monasterio, comenzó su obra.

Noche y día trabajaba con un afán incesante. En mitad de su tarea se paraba, y parecía como escuchar algo que sonaba en su imaginación, y se dilataban sus pupilas, saltaba en el asiento y exclamaba: «¡Eso es; así, así, no hay duda..., así!» Y proseguía escribiendo notas con una rapidez febril, que dio en más de una ocasión que admirar a los que lo observaban sin ser vistos.

Escribió los primeros versículos, y los siguientes, y hasta la mitad del salmo; pero al llegar al último que había oído en la montaña, le fue imposible proseguir.

Escribió uno, dos, cien, doscientos borradores; todo inútil. Su música no se parecía a aquella música ya anotada, y el sueño huyó de sus párpados, y perdió el apetito, y la fiebre se apoderó de su cabeza, y se volvió loco, y se murió, en fin, sin poder terminar el *Miserere* que, como una cosa extraña, guardaron los frailes a su muerte y aún se conserva hoy en el archivo de la abadía.

Cuando el viejecito concluyó de contarme esta historia, no pude menos de volver otra vez los ojos al empolvado y antiguo manuscrito del *Miserere*, que aún estaba abierto sobre una de las mesas.

In peccatis concepit me mater mea.

Éstas eran las palabras de la página que tenía ante mi vista y que parecía mofarse de mí con sus notas, sus claves y sus garabatos ininteligibles para los legos en la música.

Por haberlas podido leer hubiera dado un mundo.

¿Quién sabe si no serán una locura?

LA VENTA DE LOS GATOS

I

En Sevilla, y en mitad del camino que se dirige al convento de San Jerónimo desde la puerta de la Macarena, hay, entre otros ventorrillos célebres, uno que, por el lugar en que está colocado y las circunstancias especiales que en él concurren, puede decirse que era, si ya no lo es, el más neto y característico de todos los ventorrillos andaluces.

Figuraos una casita blanca como el ampo de la nieve, con su cubierta de tejas, rojizas las unas, verdinegras las otras, entre las cuales crecen un sinfín de jaramagos y matas de reseda. Un cobertizo de madera baña en sombras el dintel de la puerta, a cuyos lados hay dos poyos de ladrillos y argamasa. Empotradas en el muro que rompen varios ventanillos abiertos a capricho para dar luz al interior, y de los cuales unos son más bajos y otros más altos, éste en forma cuadrangular, aquél imitando un ajimez o una claraboya, se ven, de trecho en trecho, algunas estacas y anillas de hierro que sirven para atar las caballerías. Una parra añosísima que retuerce sus negruzcos troncos por entre la armazón de madera que la sostiene, vistiéndose de pámpanos y hojas verdes y anchas, cubre como un dosel el estrado, el cual lo componen tres bancos de pino, media docena de sillas de anea desvencijadas y hasta seis o siete mesas cojas y hechas de tablas mal unidas.

Por uno de los costados de la casa sube una madreselva agarrándose a las grietas de las paredes hasta llegar al tejado, de cuyo alero penden algunas guías que se mecen en el aire, semejando flotantes pabellones de verdura. Al pie del otro corre una cerca de cañizo, señalando los límites de un pequeño jardín, que parece una canastilla de juncos rebosando flores. Las copas de los corpulentos árboles que se levantan a espaldas del ventorrillo forman el fondo oscuro, sobre el cual se destacan sus blancas chimeneas, completando la decoración de los vallados de las huertas, llenos de pitas y zarzamoras, los retamares que crecen a la orilla del agua, y el Guadalqui-

vir, que se aleja arrastrando con lentitud su torcida corriente
por entre aquellas agrestes márgenes, hasta llegar al pie del
antiguo convento de San Jerónimo, el cual asoma por cima de
los espesos olivares que lo rodean y dibuja por oscuro la negra
silueta de sus torres sobre un cielo azul transparente.

Imaginaos este paisaje animado por una multitud de figu-
ras, de hombres, mujeres, chiquillos y animales, formando
grupos a cual más pintoresco y característico; aquí el ventero,
rechoncho y coloradote, sentado al sol en una silla baja, des-
haciendo entre las manos el tabaco para liar un cigarrillo
y con el papel en la boca; allí un regalón de la Macarena,
que canta entornando los ojos y acompañándose con una guita-
rrilla mientras otros le llevan el compás con las palmas, o gol-
peando las mesas con los vasos; más allá una turba de mucha-
chas, con su pañuelo de espumilla de mil colores, y toda una
maceta de claveles en el pelo, que tocan la pandereta, y chi-
llan, y ríen, y hablan a voces, en tanto que impulsan como
locas al columpio colgado entre dos árboles, y los mozos del
ventorrillo que van y vienen con bateas de manzanilla y pla-
tos de aceitunas, y las bandas de gentes del pueblo que hor-
miguean en el camino; dos borrachos que disputan con un majo
que requiebra al pasar a una buena moza; un gallo que ca-
carea exponiéndose orgulloso sobre las bardas del corral; un
perro que ladra a los chiquillos que le hostigan con palos y
piedras; el aceite, que hierve y salta en la sartén donde fríen
el pescado; el chasquear de los látigos de los caleseros, que
llegan levantando una nube de polvo; ruido de cantares, de
castañuelas, de risas, de voces, de silbidos y de guitarras, y
golpes en las mesas, y palmadas, y estallidos de jarros que se
rompen, y mil y mil rumores extraños y discordes que forman
una alegre algarabía imposible de describir. Figuraos todo
esto en una tarde templada y serena, en la tarde de uno de
los días más hermosos de Andalucía, donde tan hermosos son
siempre, y tendréis una idea del espectáculo que se ofreció a
mis ojos la primera vez que, guiado por su fama, fui a visitar
aquel célebre ventorrillo.

De esto ya hace muchos años: diez o doce lo menos. Yo es-
taba allí como fuera de mi centro natural. Comenzando por
mi traje, y acabando por la asombrada expresión de mi ros-
tro, todo en mi persona disonaba en aquel cuadro de franca
y bulliciosa alegría. Parecióme que las gentes, al pasar, vol-
vían la cara a mirarme con el desagrado que se mira a un
importuno.

No queriendo llamar la atención ni que mi presencia se hi-
ciese objeto de burlas más o menos embozadas, me senté a un
lado de la puerta del ventorrillo, pedí algo de beber, que no
bebí y, cuando todos se olvidaron de mi extraña aparición, sa-
qué un papel de la cartera de dibujo, que llevaba conmigo,
afilé un lápiz y comencé a buscar con la vista un tipo carac-

terístico para copiarlo y conservarlo como un recuerdo de aquella escena y de aquel día.

Desde luego, mis ojos se fijaron en una de las muchachas que formaban alegre corro alrededor del columpio. Era alta, delgada, levemente morena, con unos ojos adormidos, grandes y negros, y un pelo más negro que los ojos. Mientras yo hacía el dibujo, un grupo de hombres, entre los cuales había uno que rasgueaba la guitarra con mucho aire, entonaban a coro cantares alusivos a las prendas personales, los secretillos de amor, las inclinaciones o las historias de celos y desdenes de las muchachas que se entretenían alrededor del columpio, cantares a los que a su vez respondían éstas con otros no menos graciosos, picantes y ligeros.

La muchacha morena, esbelta y decidora que había escogido por modelo llevaba la voz entre las mujeres y componía las coplas y las decía, acompañada del ruido de las palmas y las risas de sus compañeras, mientras que el tocador parecía ser el jefe de los mozos y el que entre todos ellos despuntaba por su gracia y su desenfadado ingenio.

Por mi parte, no necesité mucho tiempo para conocer que entre ambos existía algún sentimiento de afección que se revelaba en sus cantares, llenos de alusiones transparentes y frases enamoradas.

Cuando terminé mi obra, comenzaba a hacerse de noche. Ya en la torre de la catedral se habían encendido los dos faroles del retablo de las campanas, y sus luces parecían los ojos de fuego de aquel gigante de argamasa y ladrillo que domina toda la ciudad. Los grupos se iban disolviendo poco a poco y perdiéndose a lo largo del camino, entre la bruma del crepúsculo, plateado por la luna, que empezaba a dibujarse sobre el fondo violado y oscuro del cielo. Las muchachas se alejaban juntas y cantando, y sus voces argentinas se debilitaban gradualmente hasta confundirse con los otros rumores distintos y lejanos que temblaban en el aire. Todo acababa a la vez: el día, el bullicio, la animación y la fiesta, y de todo no quedaba sino un eco en el oído y en el alma, como una vibración suavísima, como un dulce sopor parecido al que se experimenta al despertar de un sueño agradable.

Luego que hubieron desaparecido las últimas personas, doblé mi dibujo, lo guardé en la cartera, llamé con una palmada al mozo, pagué el pequeño gasto que había hecho, y ya me disponía a alejarme, cuando sentí que me detenían suavemente por el brazo. Era el muchacho de la guitarra que ya noté antes, y que mientras dibujaba me miraba mucho y con cierto aire de curiosidad. Yo no había reparado en que, después de concluida la broma, se acercó disimuladamente hasta el sitio en que me encontraba, con el objeto de ver qué hacía yo mirando con tanta insistencia a la mujer por quien él parecía interesarse.

—Señorito —me dijo con un acento que él procuró suavizar todo lo posible—, voy a pedirle a usted un favor.

—¡Un favor! —exclamé yo, sin comprender cuáles podrían ser sus pretensiones—. Diga usted, que si está de mi mano es cosa hecha.

—¿Me quiere usted dar esa pintura que ha hecho?

Al oír sus últimas palabras no pude menos que quedarme un rato perplejo. Extrañaba, por una parte, la petición, que no dejaba de ser bastante rara, y por otra, el tono, que no podía decirse a punto fijo si era de amenaza o de súplica. Él hubo de comprender mi duda, y se apresuró al momento a añadir:

—Se lo pido a usted por la salud de su madre, por la mujer que más quiera en este mundo, si quiere a alguna. Pídame usted, en cambio, todo lo que yo pueda hacer en mi pobreza.

No supe qué contestar para eludir el compromiso. Casi, casi hubiera preferido que viniese en son de quimera, a trueque de conservar el bosquejo de aquella mujer cuya vista tanto me había impresionado; pero sea por la sorpresa del momento, sea que yo a nada sé decir que no, ello es que abrí mi cartera, saqué el papel y se lo alargué sin decir una palabra.

Referir las frases de agradecimiento del muchacho, sus exclamaciones al mirar nuevamente el dibujo a la luz del reverbero de la venta, el cuidado con que lo dobló para guardárselo en la faja, los ofrecimientos que me hizo y las alabanzas hiperbólicas con que ponderó la suerte de haber encontrado lo que él llamaba un señorito *templao y neto*, sería tarea dificilísima, por no decir imposible. Sólo diré que como entre unas y otras cosas se había hecho completamente de noche, que quise que no, se empeñó en acompañarme hasta la puerta de la Macarena, y tanto dio en ello, que por fin me determiné a que emprendiésemos el camino juntos. El camino es bien corto, pero mientras duró, encontró forma de contarme de pe a pa toda la historia de sus amores.

La venta donde había tenido lugar la función era de su padre, quien le tenía prometido, para cuando se casase, una huerta que lindaba con la casa y que también le pertenecía. En cuanto a la muchacha objeto de su cariño, que me pintó con los más vivos colores y las frases más pintorescas, me dijo que se llamaba Amparo, que se había criado en su casa desde muy pequeñita y que ignoraba quiénes fuesen sus padres. Todo esto y cien otros detalles de más escaso interés me refirió durante el camino. Cuando llegamos a las puertas de la ciudad me dio un fuerte apretón de manos, tornó a ofrecérseme, y se marchó entonando un cantar cuyos ecos se dilataban a lo lejos en el silencio de la noche. Yo permanecí un rato viéndolo ir. Su felicidad hacíase contagiosa, y me sentí alegre, con una alegría extraña y sin nombre, con una alegría, por decirlo así, de reflejo.

Él siguió cantando a más no poder. Uno de sus cantares decía así:

Campañerillo del alma,
mira qué bonita era:
se parecía a la Virgen
de Consolación de Utrera.

Cuando su voz comenzaba a perderse, oí en las ráfagas de la brisa otra delgada y vibrante que sonaba más lejos aún. Era ella. Ella, que lo aguardaba impaciente...

*

Pocos días después abandoné Sevilla, y pasaron muchos años sin que volviese a ella, y olvidé muchas cosas que allí me habían sucedido; pero el recuerdo de tanta y tan ignorada tranquila felicidad no se me borró nunca de la memoria.

II

Como he dicho, transcurrieron muchos años después que abandoné a Sevilla, sin que olvidase del todo aquella tarde, cuyo recuerdo pasaba algunas veces por mi imaginación como una brisa bienhechora que refresca el ardor de la frente.

Cuando el azar me condujo de nuevo a la gran ciudad que con tanta razón es llamada *reina de Andalucía*, una de las cosas que más vivamente me impresionaron fue el notable cambio verificado durante mi ausencia. Edificios, manzanas de casas y barrios enteros habían surgido al contacto mágico de la industria y el capital. Por todas partes fábricas, jardines, posesiones de recreo, frondosas alamedas; pero por desgracia, muchas venerables antiguallas habían desaparecido.

Visité nuevamente muchos soberbios edificios, llenos de recuerdos históricos y artísticos; torné a vagar, a perderme entre las mil y mil revueltas del curioso barrio de Santa Cruz; extrañé en el curso de mis paseos muchas cosas nuevas que se han levantado no sé cómo; eché de menos muchas cosas viejas que han desaparecido no sé por qué, y por último me dirigí a la orilla del río. La orilla del río ha sido siempre en Sevilla el lugar predilecto de mis excursiones.

Después que hube admirado el magnífico panorama que ofrece en el punto por donde une sus opuestas márgenes el puente de hierro; después que hube recorrido, con la mirada absorta, los mil detalles, a cual más pintoresco, de sus curvas riberas, bordeadas de jardines, palacios y blancos caseríos; después que pasé revista a los innumerables buques surtos en sus aguas, que desplegaban al aire los ligeros gallardetes de mil

colores, y oí el confuso hervidero del muelle, donde todo respira actividad y movimiento, remontando con la imaginación la corriente del río, me trasladé hasta San Jerónimo.

Me acordaba de aquel paisaje tranquilo, reposado y luminoso en que la rica vegetación de Andalucía despliega sin aliño sus galas naturales. Como si hubiera ido en un bote corriente arriba, vi desfilar otra vez, con ayuda de la memoria, por un lado la Cartuja, con sus arboledas y sus altas y delgadas torres; por el otro, el barrio de los Humeos, los antiguos murallones de la ciudad, mitad árabes, mitad romanos; las huertas con sus vallados cubiertos de zarzas, y las norias que sombrean algunos árboles aislados y corpulentos y, por último, San Jerónimo.

Al llegar aquí con la imaginación, se me representaron con más viveza que nunca los recuerdos que aún conservaba de la famosa venta, y me figuré que asistía de nuevo a aquellas fiestas populares y oía cantar a las muchachas, meciéndose en el columpio, y veía los corrillos de gentes del pueblo vagar por los prados, merendar unos, disputar los otros, reír éstos, bailar aquéllos, y todos agitarse, rebosando juventud, animación o alegría. Allí estaba ella, rodeada de sus hijos, lejos ya del grupo de las mozuelas que reían y cantaban, y allí estaba él, tranquilo y satisfecho de su felicidad, mirando con ternura, reunidas a su alrededor y felices, a todas las personas que más amaba en el mundo: su mujer, sus hijos, su padre, que estaba entonces, como hacía diez años, sentado a la puerta de su venta, liando impasible su cigarrillo de papel, sin más variación que tener blanca como la nieve la cabeza, que antes era gris.

Un amigo que me acompañaba en el paseo, notando la especie de éxtasis en que estuve abstraído con estas ideas durante algunos minutos, me sacudió al fin del brazo, preguntándome:

—¿En qué piensas?

—Pensaba —le contesté— en la *Venta de los Gatos,* y revolvía aquí dentro de la imaginación todos los agradables recuerdos que guardo de una tarde que estuve en San Jerónimo... En este instante concluía una historia que dejé empezada allí, y la concluía tan a mi gusto, que creo que no puede tener otro final que el que yo le he hecho. Y a propósito de la *Venta de los Gatos* —proseguí dirigiéndome a mi amigo—, ¿cuándo nos vamos allá una tarde a merendar y a tener un rato de jarana?

—¡Un rato de jarana! —exclamó mi interlocutor, con una expresión de asombro que yo no acertaba a explicarme entonces—. ¡Un rato de jarana! ¡Pues digo que el sitio es aparente para el caso!

—Y ¿por qué no? —le repliqué admirándome a mi vez de sus admiraciones.

—La razón es muy sencilla —me dijo, por último—; porque a cien pasos de la venta han hecho el nuevo cementerio.

Entonces fui yo el que lo miró con ojos asombrados, y permanecí algunos instantes en silencio antes de añadir una sola palabra.

Volvimos a la ciudad, y pasó aquel día, y pasaron algunos otros más, sin que yo pudiese desechar del todo la impresión que me había causado una noticia tan inesperada. Por más vueltas que le daba, mi historia de la muchacha morena no tenía ya fin, pues el inventado no podía concebirlo, antojándoseme inverosímil un cuadro de felicidad y alegría con un cementerio por fondo.

Una tarde, resuelto a salir de dudas, pretexté una ligera indisposición para no acompañar a mi amigo en nuestros acostumbrados paseos y emprendí solo el camino de la venta. Cuando dejé a mis espaldas la Macarena y su pintoresco arrabal, y comencé a cruzar por un estrecho sendero aquel laberinto de huertas, ya me parecía advertir algo extraño en cuanto me rodeaba.

Bien fuese que la tarde estaba un poco encapotada, bien que la disposición de mi ánimo me inclinaba a las ideas melancólicas, lo cierto es que sentí frío y tristeza, y noté un silencio que me recordaba la completa soledad, como el sueño recuerda la muerte.

Anduve un rato sin detenerme, acabé de cruzar las huertas para abreviar la distancia, y entré en el camino de San Lázaro, desde donde ya se divisaba en lontananza el convento de San Jerónimo.

Tal vez será una ilusión, pero a mí me parece que por el camino que pasan los muertos, hasta los árboles y las yerbas toman al cabo un color diferente. Por lo menos allí se me antojó que faltaban tonos calurosos y armónicos, frescura en la arboleda, ambiente en el espacio y luz en el terreno. El paisaje era monótono, las figuras negras y aisladas.

Por aquí un carro que marchaba pausadamente, cubierto de luto, sin levantar polvo, sin chasquidos de látigo, sin algazara, sin movimiento casi; más allá un hombre de mala catadura con un azadón en el hombro, o un sacerdote con su hábito talar y oscuro, o un grupo de ancianos mal vestidos y de aspecto repugnante, con cirios apagados en las manos, que volvían silenciosos, con la cabeza baja y los ojos fijos en la tierra.

Yo me creía transportado no sé dónde; pues todo lo que veía me recordaba un paisaje cuyos contornos eran los mismos de siempre, pero cuyos colores se habían borrado, por decirlo así, no quedando de ellos sino una media tinta dudosa. La impresión que experimentaba sólo puede compararse a la que sentimos en esos sueños en que, por un fenómeno inexplicable, las cosas son y no son a la vez, y los sitios en que cree-

mos hallarnos se transforman, en parte, de una manera estrambótica e imposible.

Por último, llegué al ventorrillo. Lo recordé más por el rótulo, que aún conservaba escrito con grandes letras en una de sus paredes, que por nada, pues en cuanto al caserío, se me figuró que hasta había cambiado de forma y proporciones. Desde luego, puedo asegurar que estaba mucho más ruinoso, abandonado y triste. La sombra del cementerio, que se alzaba en el fondo, parecía extenderse hacia él envolviéndolo en su oscura proyección como en un sudario.

El ventero estaba solo, completamente solo. Conocí que era el mismo que hacía diez años, y lo conocí por no sé qué, pues en este tiempo había envejecido hasta el punto de aparentar un viejo decrépito y moribundo, mientras que cuando lo vi no representaba apenas cincuenta años, y rebosaba salud, satisfacción y vida.

Sentéme en una de las desiertas mesas, pedí algo de beber, que me sirvió el ventero, y de una en otra palabra suelta vinimos al cabo a entrar en una conversación tirada acerca de la historia de amores, cuyo último capítulo ignoraba todavía, a pesar de haber intentado adivinarlo varias veces.

—Todo —me dijo el pobre viejo—, todo parece que se ha conjurado contra nosotros desde la época que usted me recuerda. Ya lo sabe usted: Amparo era la niña de nuestros ojos; se había criado aquí desde que nació, casi; era la alegría de la casa. Nunca pudo echar de menos el suyo, porque yo la quería como un padre. Mi hijo se acostumbró también a quererla desde niño, primero como un hermano, después con un cariño más grande todavía. Ya estaba en vísperas de casarse. Yo les había ofrecido lo mejor de mi poca hacienda, pues con el producto de mi tráfico me parecía tener más que suficiente para vivir con desahogo, cuando no sé qué diablo malo tuvo envidia de nuestra felicidad, y la deshizo en un momento. Primero comenzó a susurrarse que iban a colocar un cementerio por esta parte de San Jerónimo; unos decían que más acá, otros que más allá; y mientras todos estábamos inquietos y temerosos, temblando de que se realizase este proyecto, una desgracia mayor y más cierta cayó sobre nosotros. Un día llegaron aquí en carruaje dos señores. Me hicieron mil y mil preguntas acerca de Amparo, a la cual saqué yo cuando pequeña de la Casa de Expósitos; me pidieron los envoltorios con que la abandonaron y que yo conservaba, resultando al fin que Amparo era hija de un señor muy rico, el cual trabajó con la Justicia para arrancárnosla. Y trabajó tanto, que logró conseguirlo. No quiero recordar siquiera el día que se la llevaron. Ella lloraba como una Magdalena, mi hijo quería hacer una locura y yo estaba como atontado sin comprender lo que me sucedía. ¡Se fue! Es decir, no se fue, porque nos quería mu-

cho para irse; pero se la llevaron, y una maldición cayó sobre esta casa. Mi hijo, después de un arrebato de desesperación espantosa, cayó como en un letargo. Yo no sé decir qué me pasó. Creí que se me había acabado el mundo. Mientras esto sucedió, comenzóse a levantar el cementerio. La gente huyó de estos contornos. Se acabaron las fiestas, los cantares y la música, y se acabó toda la alegría de estos campos, como se había acabado toda la de nuestras almas. Y Amparo no era más feliz que nosotros. Criada aquí al aire libre, entre el bullicio y la animación de la venta, educada para ser dichosa en la pobreza, la sacaron de esta vida y se secó como se secan las flores arrancadas de un huerto para llevarlas a un estrado. Mi hijo hizo esfuerzos increíbles para verla otra vez, para hablarle un momento. Todo fue inútil; su familia no quería. Al cabo la vio, pero la vio muerta: por aquí pasó el entierro. Yo no sabía nada, y no sé por qué me eché a llorar cuando vi el ataúd. El corazón, que es muy leal, me decía a veces: «Ésa es joven como Amparo. Como ella, sería también hermosa. ¿Quién sabe si será la misma?» Y era. Mi hijo siguió el entierro, entró en el patio, y al abrirse la caja dio un grito, cayó sin sentido en tierra, y así me lo trajeron. Después se volvió loco, y loco está.

Cuando el pobre viejo llegaba a este punto de su narración, entraron en la venta dos enterradores, de siniestra figura y aspecto repugnante. Acabada su tarea, venían a echar un trago a la *salud de los muertos*, como dijo uno de ellos, acompañando el chiste con una estúpida sonrisa. El ventero se enjugó una lágrima con el dorso de la mano y fue a servirles.

La noche comenzaba a cerrar, oscura y tristísima. El cielo estaba negro y el campo lo mismo. De los brazos de los árboles pendía aún, medio podrida, la soga del columpio agitada por el aire. Me pareció la cuerda de una horca, oscilando todavía después de haber descolgado a un reo. Sólo llegaban a mis oídos algunos rumores confusos: el ladrido lejano de los perros de las huertas, el chirrido de una noria, largo, quejumbroso y agudo como un lamento; las palabras sueltas y horribles de los sepultureros, que concertaban en voz baja un robo sacrílego... No sé. En mi memoria no ha quedado, lo mismo de esta escena fantástica de desolación, que de la otra escena de alegría, más que un recuerdo confuso, imposible de reproducir; lo que me parece escuchar tal como lo escuché entonces, es este cantar que entonó una voz plañidera, turbando de repente el silencio de aquellos lugares:

En el carro de los muertos
ha pasado por aquí,
llevaba una mano fuera,
por ella la conocí.

Era el pobre muchacho, que estaba encerrado en una de las habitaciones de la venta, donde pasaba los días contemplando inmóvil el retrato de su amante sin pronunciar una palabra, sin comer apenas, sin llorar, sin que se abriesen sus labios más que para cantar esa copla tan sencilla y tan tierna, que encierra un poema de dolor y que yo aprendí a descifrar entonces.